ポイエーシス叢書
76.

一人称の過去
歴史記述における〈私〉

エンツォ・トラヴェルソ
宇京頼三 訳

未來社

一人称の過去——歴史記述における〈私〉■目次

［凡例］

・原文中のイタリック体は傍点による強調とした。
・訳文中に原語を指示する場合は（ ）を、訳者による補足・説明などには〔 〕を用い、活字を小さくした。
・原文中の（ ）はそのまま（ ）とした。
・本文の原注は☆で、訳注は★で示し、本文の該当する箇所の下に脚注として掲出した。

一人称の過去——歴史記述における〈私〉

装幀――今垣知沙子

序章

「ひとはただ自己によってのみ生きている［……］、だがわれわれの最も内なる思考も、われわれの思考そのものも、無数の絆によって世界のそれに結びついていることを知らねばならない」
ヴィクトル・セルジュ『ある革命家の回想』

本書は、一貫した性格もなく、いかなる企てや職業上の義務を動機としたものではない読書によって始まり、この近年、漠としたものから次第に明確になってきた、問いから生まれたものである。つまり、好奇心や楽しみから読んだり、書評を見て読みたくなったり、友人の話を聞いて読んだりした本。また関心をもって読み、しばしば愛好した本、私の思考を助け、知識をもたらし、心動かされた本。時として過去の種の実《み》や糧を見る、すなわち、私の研究の手立てである概念を超えて生身の人間を見るという印象をもたらした本から生まれたものである。それらは歴史書であり、また小説や自伝でもあり、さまざまな文学ジャンルを混ぜ合わせたハイブリッドな著作である。それらの多くには称賛の念を抱いたが、つねになにかしら困惑させられるものもあった。ただとくにある一冊がこの困惑をもたらしたというのではない。これは読書全体、いわば一種の累積効果から生まれたものである。

ことは単純である。歴史が作者の主観性のプリズムを通して、次第に多くは一人称で書かれるようになっている。文学では、この現象が古くても——『神曲』におけるダンテの語りを考えているだけだが——、歴史においては別で、まったくこれまでなかったことである。この自我の侵略的な飛躍には当惑させられる。これは歴史家としての私の慣行を問い質し、またわれわれが生きている世界に関する別のより深刻な問題も提起する。「自撮り（selfie）」の時代は歴史記述の慣行にまで影響するのか？　それがもたらす方法論的変革を考える前、本のカバーに作者の顔写真を載せるという傾向がだんだんと増しているように、些末な細部にまで入り込むこの主観性の新しい位置を確認しておこう。こういう作者の決心は必ずしもその「エゴティスム」——「私の好みのテーマ、私自身」——からではなく、むしろ主観性がわれわれの文化、転じて、物《もの》化された公的領域に占める新しい位置から生じている。

私自身、些細なことだが、この新しい自己表示——自己顕示——の形を経験している。数年前、私のある本の翻訳を受け取って、通常の紹介文の代わりに、私の顔がカバーの四分の一をまるまる占めているのを見て非常に驚いたことがある。こんな奇妙な選択をした理由を尋ねると、編集者はこの叢書のレイアウトだと説明した。少しあとで、私は両大戦間のヨーロッパに関する本〔『ヨーロッパの内戦』拙訳、未來社〕を出したが、その序文には私の「ポストメモワール」〔「あとの世代」が体験した集団的・個人的な文化的トラウマと育んだ関係〕に充てた数ページが含まれていた。そこで私は故郷の町――ごく普通のイタリアの小都市――のことや、また私の青少年時代にまつわる伝説やイメージが織り成す思い出のミクロコスモスを語ったが、このミクロコスモスによって、「大きな斧のある」〔小説家ジョルジュ・ペレック（一九三六―一九八二）の表現。ここではナチの魔手のこと〕歴史が、地域のドラマになって私の世代に伝えられたのである。

私はただ、まだ少年だったころ、私の本で描き分析した出来事をどのように認識していたのかを説明しようとしただけであり、作者にとって、自己を提示すること――どんな地点から語っているのかを示すこと――が一種の知的誠実さであるという原則から発したのである。だから、その本が翻訳された、いくつかの国で、このまったくマージナルな自伝的注釈にこだわっている批評があるのを見て驚いた――必ずしも心くすぐられたわけではない。イタリアの定評ある某雑誌は序文の出版許可を求めてきたし、ある大出版社などは、私が一九七七年にはまだ二〇歳にすぎず、当時の出来事になんの主たる役割も果たしていないことなど無視して、自伝的角度から一九七〇年代の歴史を書くことさえ示唆した。それらすべてが些末で無意味、おかしなことであるとさえ思われたが、あとになってみると、それはただ、われわれの過去との関係が変化したことの表われであることがわかった。

二一世紀の転換期に、歴史家の自伝が増えた。この新しい文学的ジャンルの正当なる分析家であるジェレミー・D・ポプキン〔一九四八―、ケンタッキー大学教授〕とハウメ・アウレル〔一九六四―、ナバラ大学教授〕は、この近年三〇年間に現われたその数百例を調査した。[☆1] そのような広がりのある現象は研究に値すると主張しながらも、彼らは必ずその若干逆説的な性格も指摘した。概して、研究者の生活は講義やセミナーを行ない、コロックに参加し、資料館や図書館にこもることだが、それは当然ながらジェームズ・ボンド流の冒険のように胸躍るものではない。それでも、歴史家がその生活を語る楽しみは広まった。それまでこの自己反省的な享楽はその名声を意識し、キャリアの特異な性格を誇るごく少数の学者のものだった。彼らはエリート層に属していた。彼らは普通の歴史家集団から出て、回想録作者になったのである。[☆2]

エドワード・ギボン、ヘンリー・アダムス、のちにはベネデット・クローチェ、フリードリヒ・マイネッケ――おそらく最新なのはエリック・J・ホッブズボーム――などみなが、歴史に自らの生を記すという、多かれ少なかれ明確な意図でそれぞれの思い出を出版した。[☆3] そのことはまた、作者をモデルとして立てる意図など微塵もなく書かれた変則的な自伝にも当てはまるが、ただ後者は作品によって集団的意識や精神の体現者になったことを自覚していたから書いたのである。エドゥアルド・ガレアーノ〔一九四〇―二〇一五、ウルグアイ人〕の自伝的断章がその一例だが、[☆4] 彼はいわば領域侵犯によって歴史家になった作家、評論家で、その『収奪された大地　ラテンアメリカ五百年』〔一九七一年〕〔大久保光男訳、藤原書店〕は新大陸征服に関する最も重要な作品の

☆1 Jeremy D. Popkin, *History, Historians, and Autobiography*, Chicago, University of Chicago Press, 2005; Jaume Aurell, *Theoretical Perspectives on Historians' Autobiographies: From Documentation to Intervention*, Londres, Routledge, 2016.

☆2 Pierre Nora, « Histoire et roman: où passent les frontières? », *Le Débat*, n°165, 2011, p. 9.

☆3 Edward Gibbon, *Memoirs of My Life*, New York, Funk & Wagnalls, 1966 [1796]; Henry Adams, *The Education of Henry Adams: An Autobiography*, Boston, Houghton Mifflin, 1971 [1918]; Benedetto Croce, *Contributo alla critica di me stesso*, Milan, Adelphi, coll. « Piccola Biblioteca », 1989 [1918]; Friedrich Meinecke, *Erlebtes 1862-1901*, Stuttgart, K. F. Koehler, 1964 [1941] et

ひとつである。あるいはまたハワード・ジン〔一九二二―二〇一〇〕の自伝もそうだが、これは『民衆のアメリカ史』（一九八〇年）〔猿田要監修、富田虎男・平野孝・油井大三郎訳〕の大成功後一五年ばかり経って書かれたものである。彼はそこで第二次世界大戦参戦、反人種差別闘争時代のアトランタで最初の大学教授ポスト就任、次いでベトナム戦争反対運動を語っているが、歴史家の思い出以上に、彼は活動家のそれを物語っている。☆5

ジャン＝ルイ・ジャネル〔一九七二―〕が指摘したように、回想録は「個人的な運命と集団の運命の弁証法」☆6から生まれる。政治家のそれはほとんどいつもその人生を記念碑化したいという欲求を示している。だが歴史家にあっては、少なくとも一国とか一時代の文化に席を得ているという意識を表わしている。しかしながら、今日では、この慣行がその分野外ではまったく無名の研究者にまで広がり、彼らは回想録というよりは自伝を書いている。彼らの目的は、大部分の場合、自らの記念碑を建てるのではなく、彼ら自身の内面を深く掘り下げて、自らの知的道程や行路をよりよく理解するか、もっと単純には、自らの生を語るためである。

こうした歴史家の自伝が数多く増えているのはおそらく、部分的にはより幅広い傾向の反映である。つまり、書くということ、とりわけ自己について書くということの民主化である。一九世紀は文盲撲滅闘争、二〇世紀は読書普及の時代である。われわれはそれまで排除されていた人びとによる書くことへの適応化の時代に入ったのだ。かくして、知的エリートによる書く

Strassburg, Freiburg, Berlin, 1901-1919: Erinnerungen, Stuttgart, K. F. Koehler, 1949, puis inclus dans Eberhard Kessel (dir.), *Werke, Bd. 8: Autobiographische Schriften*, Stuttgart, Koehler, 1969; Eric Hobsbawm, *Franc-tireur. Autobiographie*, Paris, Ramsay, 2005.

☆4 Eduardo Galeano, *Le chasseur d'histoires*, Montréal, Lux, coll. « Orphée », 2017.

☆5 Howard Zinn, *L'impossible neutralité. Autobiographie d'un historien et militant*, Marseille, Agone, coll. « Mémoires sociales », 2013.

☆6 Jean-Louis Jeannelle, *Écrire ses mémoires au XXe siècle. Déclin et renouveau*, Paris, Gallimard, coll. « Bibliothèque des idées », 2008, p. 375.

ことの独占が終わり、普通の男女がその人生を語るようになった。「下からの歴史」の誕生は「下から」の自伝と不可分であるが、これは、広がりはあってもマージナルで、メディアや出版界の公認のルートからは外れて、いわば陰で生まれて広まったものである。そしてこのテクスト世界の風景の驚くべき豊かさを最初に理解したのが、まさしく歴史家なのである。イタリアでは、書くことに近づけなかった人びとの証言を書きとめる歴史家が数多くいた。

ダニーロ・モンタルディ〔一九二九―一九七五〕は下層階級の文化を研究した最初の研究者のひとりで、雑多な方言でこり固まった言語を尊重する文学形式で彼らの声を表現しようとした。『読書する者の自伝』〔一九六一年〕において、彼はポー平原の町の放浪者、ならず者、娼婦などの言葉を読ませることによって、埋もれた世界の驚くべき肖像を描いた。[☆7] ジャン＝ノルトン・クリュ〔一八七九―一九四九、フランスの作家〕の跡に従って、アントニオ・ジベーリ〔一九四二―、イタリアの歴史家〕は第一次世界大戦の歴史を、地べたや塹壕で体験した者の声を通して再構成した。[☆8] もっと新しくは、歴史家たちは共産主義活動家の世界の非常に幅広い自伝的作品を研究しており、そこではまずこの書くという慣行が党幹部を選択することに使われていたが、過去に遡って下部組織の活動家の生の歩みも明らかにしている。[☆9] マウロ・ボアレッリ〔一九六二―〕は、一九四五―一九五六年に書かれたボローニャの一二〇〇名の共産主義活動家の自伝を検討している。[☆10] それらは、指導者グループや戦略、集団行動に焦点を絞った共産主義の伝統的な歴史が見せるものと

☆7 Danilo Montaldi, *Autobiografie della leggera. Vagabondi, ex carcerati, ladri, prostitute raccontano la loro vita*, Milan, Bompiani, coll. « Tascabili Varia », 2018 [1961].

☆8 Jean Norton Cru, *Du témoignage*, Paris, Allia, 1989 [1930]; Antonio Gibelli, *L'officina della guerra. La Grande Guerra e le trasformazioni del mondo mentale*, Turin, Bollati-Boringhieri, 2007; et aussi, du même auteur, *La Grande Guerra degli Italiani. 1915-1918*, Milan, Rizzoli, 2014.

☆9 Claude Pennetier et Bernard Pudal, « Écrire son auto-biographie (Les autobiographies communistes d'institution, 1931-1939) », *Genèses*, n°23, 1996, p. 57-75, et aussi les essais réunis par les mêmes auteurs dans *Autobiographies, autocritiques, aveux dans le monde communiste*, Paris,

は、かなり異なった風景を描いている。

ところで、活動家の回想録は暮しを語り、民衆階級が「高等」文化や、党内ヒエラルキーを定めるにあたって、書くことと言葉の重要性に対してもった複雑な関係を描いている。書くことの民主化を研究するために、歴史家はそれを研究領域としなければならなかった。それゆえ、自己について書くことの同じ民主化プロセスから生じているにもかかわらず、歴史家の自伝とそれまで書くことに近づけなかった人びとのそれは重ならない。しかしおそらく両者には関係がある。なぜなら、「普通の」歴史家が彼ら自身の生を語りはじめたのは、平凡な人びとの自伝を研究したあとにすぎないからである。

この近年、もうひとつの敷居が越えられた。すなわち、われわれは歴史家の自伝から主観主義的な歴史記述の新形式に移ったのである。今日、増え続ける、自伝ではない多くの著作は重要な書き手の主人公化（homodiégétique）という次元を備えており、まるで歴史は、それをつくる者のみならず、またとくにそれを書く者の内在性をさらさずには書かれないかのようである。語の慣例的な意味における歴史でも自伝でもない、このハイブリッドな新ジャンルはかなりの成功を収めた。これは伝統を侵犯し、文学的規範を越えて、歴史的分野一般に認められた、いくつかの基本的な前提を見直した。以下のページで、私が検討に専念するのは、歴史記述と歴史家の自意識における主観性に与えられたこの新しい位置である。ここで明確にしておきたいの

Belin, coll. « Socio-histoires », 2002. を見よ。
☆10 Mauro Boarelli, *La fabbrica del passato. Autobiografie di militanti comunisti (1945-1956)*, Milan, Feltrinelli, coll. « Campi del sapere », 2007.

は、私の意図は反自伝的な文学の古い構築物に新しい石を加えることではないことだ。反自伝的な文学の起源は少なくともパスカルとその有名な一文「自我は嫌悪すべきものである」（『パンセ』、四五五）に遡り、これはたんなる警句以上に実際の不快感を示しているのである。『一九〇〇年頃のベルリンの幼年時代』の構成に使われた自伝的な断片において、ヴァルター・ベンヤミンは批評家としてつねに、単純だが入念に配慮した「唯一の小さな規則」を固守したと認めている。つまり、「手紙を除いて〝私〟という語はけっして使わないこと」である。ベルリンについて一人称でコラムを書くよう提案されると、彼はごく自然なためらいを克服しなければならなかった。「突然、それまで何年も後景にあることに慣れていたこの私という主体が、そう簡単にはフットライトのそばに呼ばれるままにはならないことがわかった[☆11]」。

アルベール・ティボーデには失礼ながら、自伝はマイナーなジャンルではない。彼はフロベール論において、自伝を自己暴露の「最も偽ったもの」として描いているが、それは自伝がまず第一にそれらのなかで「最も真摯なるもの」として自己呈示するからであるという[☆12]。ポール・ヴァレリーが示唆したように、内面をさらすという印象を与えるために「ボタン」を外して好奇心をそそろうとする作家の策略はない[☆13]。これより少し前の世紀末フランスで、フェルディナン・ブリュヌティエールの反自伝的な攻撃ははるかに激しかった。強硬な保守派であるにもかかわらず、今日なら彼の攻撃はこう書かれたかもしれない。「この自我の病的で異常な発

☆11 « Chronique berlinoise » [1932] dans Walter Benjamin, *Écrits autobiographiques*, Paris, Christian Bourgois, coll. « Titres », 1990, p. 261.

☆12 Albert Thibaudet, *Gustave Flaubert*, Paris, Gallimard, coll. « Tel », 1982 [1922], p. 87.

☆13 Paul Valéry, « Stendhal » [1927], cité par Jacques Lecarme et Éliane Lecarme-Tabone, *L'autobiographie*, Paris, Armand Colin, 2004, p. 12.

展の原因は何なのか？」。彼はそう自問し、この嫌悪すべき自我が以後、「栄光のうちに広がり、その傲慢さにどっかりと腰を下ろす権利」を獲得したと嘆いている。そして情け容赦なく、こう続けている：

> われわれが本を開くのは、まるでわれわれ、このわれわれが捨て子であるかのように、作者には親、兄弟、家庭があることを知るためなのか。あるいは彼の歯が生えた年齢、彼の百日咳はどれだけ続いたのか、彼の中学校の先生のこと、彼はバカロレアをどのようにして受かったかを知るためなのか？　かつて画家にしたように、小説家にもその作品中に自己自身を反映するとか、後世の教育のためにそこで正確に自己描写するよう勧めるのか？　そして結局は、それは彼らに対して鼓舞すべき傾向であり、彼らの立派な〔作中〕人物に対するあの果てしなき自己満足なのか——それがまた彼らと異なるすべてのものに対する一種の最も無礼な軽蔑にすぎないことなどに注意もはらわずにだが。☆14

たとえこの厳しい論告が多くの現代の作者に向けられるとしても、結論はかなり貧相なものになる。ブリュヌティエールによれば、「我らが作家が自ら舞台に登場するというこの傾向は、彼らの「自己満足」や「下らなさ」、「エゴティスムの狭い輪のなかに閉じこもって、いわば獄

☆14　Ferdinand Brunetière, « La littérature personnelle » [1889], dans Charles-Olivier Striker-Métral (dir.), *L'autobiographie*, Paris, Flammarion, coll. « GF Corpus », 2014, p. 223.

中で書くという執念の表われ[☆15]」でしかない。だが、これは近視眼的な見方である。確かにこのエクリチュール〔書くこと／書法／記述〕は作者の自我に集中しているが——ただ必ずしも裡に閉じこもってではない——、ときには、文学的にも歴史記述的にも注目すべきものなのである。あるときは嘆かわしく、あるときは称賛すべきであるこの自我の出現は、批判的分析と解釈による説明を要する。

「小説家ナルシス」はもはや孤独ではない[☆16]。この文学的表象はその存在がすでにかなり前から証明され、研究されており、いまやその横に「歴史家ナルシス」がいるが、これもやはり野心的かつ創造的である[☆17]。彼らの祖先はオヴィディウスの『変身物語』第三の書に現われており、泉の澄んだ水に写る自らの姿に魅惑されている。「同時に愛する者にして愛される者」、欲する存在にしてその欲望の対象となるほど「自己自身に魅されて」とオヴィディウスは書くが、若者はおのが姿を我が物にしようとする。だがこの錯覚の試み、努力は彼を破滅に追いやり、結局は水に呑み込まれてしまうのである（第三の書、四〇七）。フロイトとその後に続いた多数の精神分析学者たちは、ナルシスに神経症的な表象を見るが、これはリビドー的エネルギーを外部に向けることができず、それを一種の現実逃避の裡に内在化し、孤立して自己自身の裡に閉じこもってしまう者の表象である[☆18]。確かに彼は、疑いもなく、多くの作家や歴史家を冒す神経症を

☆15　*Ibid.*, p. 226.

☆16　Jean Rousset, *Narcisse romancier. Essai sur la première personne dans le roman*, Paris, José Corti, 1986［1973］; Linda Hutcheon, *Narcissistic Narrative: The Metafictional Paradox*, Waterloo, Wilfrid Laurier University Press, 2013 [1980]. を見よ。ルッセが主としてバロック文学に焦点を当てているのに対して、ハッチオンはナルシシズムの概念に照らして現代フランスとイタリア文学の類型学の形成に専念している。

☆17　現在まで、私の知るかぎりは、歴史家のナルシシズムには唯一の研究があるが、これは集団的アイデンティティの歴史記述的表現と見なされている。それは、「歴史家論争」の時代のドイツの新保守主義的歴史家と、一九四八年のアラブ—イスラエル戦争の公式物語を再検討したイスラエ

描いているが、また神話上の人物の複雑さを単純化した。精神分析の父のもっと前、ハーマン・メルヴィルはすでにナルシスに普遍的なものの特徴を与えていた。「泉に写る悩める甘美なイメージを我が物にすることができず、死に身を投じたこの哀れなヒーロー」に、『白鯨』（一八五一年）の作者は物語の情報源そのものを見出したと思っていた。「この同じイメージ、これをわれわれ自身があらゆる大河やあらゆる大洋に見ている。それは生の捉えがたき亡霊であり、万物の鍵である[☆19]」。

主観主義的歴史家、歴史家ナルシスはフロイトのナルシスよりもメルヴィルのそれに似ている。世界から逃亡する代わりに、彼は生と歴史が永遠に彼に映し送る彼自身の影像を見失わずに世界を探検しようとする。そこでわれわれは、マックス・ヴェーバーとの類推によって「世界内的ナルシシズム」の概念に思い至る。その最も有名な著作において、このドイツの社会学者は「世界内的禁欲」に資本主義精神の特徴のひとつを捉えているが、これはプロテスタンティズム——とくにカルヴァン——が神秘的な禁欲主義に対置したもので、世界外への逃亡よりもむしろ社会内における有徳な合理的行動を通して救済を求めることである[☆20]。歴史家のナルシシズムは世界を理解するという欲求から生じる。それゆえ、これは自己省察や自己賛美を純粋に反映する姿勢に帰せられるのではなく、その究極的な動因は、フロイトの定義によると、「外部世界から引き出されて自我にもたらされたリビドー」に存することになろう。歴史家ナ

ルの「修正主義的」歴史家のケースを考慮してのことである。以下も参照。José Brunner, « Pride and Memory: Nationalism, Narcissism, and the Historians », *History & Memory*, vol. 9, n°s 1-2, automne 1997, p. 256-300.

☆18 Sigmund Freud, *Pour introduire le narcissisme*, Paris, Payot, coll. « Petite bibliothèque Payot », 2012 [1914].

☆19 Herman Melville, *Moby Dick*, Paris, Gallimard, coll. « Folio », 1996 [1941], p. 34.

☆20 Max Weber, *L'éthique protestante et l'esprit du capitalisme*, Paris, Plon, coll. « Recherches en Sciences humaines », 1964 [1905], p. 21. これに関しては、Christopher Adair-Toteff, « Max Weber's Notion of Asceticism », *Journal of Classical Sociology*, vol. 10, n°2, mai 2010, p. 109-122. 参照。

ルシスはそのエネルギーを外部に放出する。なぜなら、彼のアイデンティティの探求は長い過去の調査の作業の果てに初めて完結するのであり、一人称で語られる作業は、他者の生を調べ質したあと、やっと自分が誰であり、どこから来たのかを理解させることになる。

実を言うと、小説家ナルシスと歴史家ナルシスは並列するのではなく、結合し、さらにはハイブリッドな表象として融合する傾向にある。なぜなら、本書の結論で見ることになるが、主観主義的な歴史家はその文学的野心を隠さないのに対して、多くの小説家は歴史家のように書きはじめ、世界を探検し、「文学的なノンフィクション」の作品を生んでいるのだから。文学的ナルシシズムに倣って、歴史家的ナルシシズムは他者からの批評を要請し、その成果が無視されるものではなく、ときには非人称の歴史のそれよりも注目すべきものであるとさえ考えているのである。

第1章　三人称で書くこと

歴史家は古代から三人称で書きはじめたが、当時は歴史、詩、悲劇、雄弁術のあいだに明確な境界はなく、すべてが、ニコル・ロロ〔一九四三―二〇一三、ギリシア学者〕の語を借用すると、「シテ〔都市国家〕に根ざした言葉のレジーム」☆1だったのである。

ペロポネソス戦争にまずアテネの将軍として、次に亡命者として参戦したにもかかわらず、トゥキュディデスはこの出来事を証言しようとしなかった。彼は歴史家として、客観的に事実を記述して紛争を再構成しようとしたが、それは三人称で語ることを意味した。それゆえ、彼は『ペロポネソス戦争』を詩人として書いたのではなく、「芸術の要請のため、この時代の出来事を潤色拡張」しようとはしなかったのである。彼は「散文史家 logographe〔ヘロドトス以前の古代ギリシアの年代記作者〕」とは距離を置いた――紀元前六世紀と五世紀の年代記作者を彼はこう呼んだ――が、彼らは、歴史を書きながら、「真実を明らかにするよりは読者の気に入るよう心がけ」、立証不能な事実を語るので、なんらかの真実性を主張することはできなかった。彼の方法は異なっており、「まったく明白な記録資料に基づく知」を提示することを目指した。実際

☆1　Nicole Loraux, « Thucydide n'est pas un collègue », *Quaderni di storia*, n°12, 1980, p. 60.

に目撃した出来事についても、また間接的に知ったことに対しても、彼は「毎回できる限り細心綿密な確認」を行なった。それゆえ、「ロマネスクを欠いた彼の語りにあまり魅力を感じない」[☆2]恐れのある読者には、好意的な見方をするよう求めたが、それは、この事実に関する厳密な再構成は非人称の語りを要求したからである。

　古典文献学者ルチアーノ・カンフォーラ〔一九四二―〕によれば、クセノフォンがトゥキュディデスの作品を補って、第六の書の二五と二六章において彼自身〔クセノフォン〕のエクリチュールが認められるようにしたのは、突然語り手の「私＝Je」を導入することによってである。この三人称から一人称への移行はまた、目撃者の保証によって物語の真実性の強化も狙っていた。「私は年齢からして、起こったことを理解するために必要な成熟した精神で戦争に徹頭徹尾立ち会うことができたし、また出来事の概略を正確に把握するため、その流れを注意深く辿ることができた」[☆3]。だから、トゥキュディデスの後継者は、歴史家（トゥキュディデス）の非人称の語りと証人（クセノフォン自身）の一人称で書かれた語りを繋ぐ二重の語りの声域を選んだのである。

　一八世紀末、科学的な主張を目指す分野として近代的な歴史記述が誕生して以来、三人称による記述は基本的な規則のひとつで、少なくとも最近まではそう考えられており、異論の余地がなかった。その前提条件はかなり単純である。つまり、事実の再構成と過去の出来事の文脈

☆2　Thucydide, *La guerre du Péloponnèse*, Paris, Gallimard, coll. « Folio », 1998 [Ve siècle av. J.-C.], p. 47-48. トゥキュディデスのエクリチュールのこの性質はモーゼス・I・フィンレーが『ギリシアの歴史家――ヘロドトス、トゥキュディデス、クセノフォン、ポリュビオスの本質』集の序文で強調している。(Viking Press, 1977 [1959], p. 8-13)

☆3　*Ibid.*, p. 356. Luciano Lantora, « L'io narrante degli storici antichi », *Phaos*, n°3, 2003, p. 23-36. を見よ。

に応じた年代順の記述の合理的な配列として考えられた歴史は、非人称の語りだけが確保できる距離と外部からの視線を前提とする。厳密に再構成されて深く理解されるため、過去からはそれを包み込む感情や情動の地層が取り除かれねばならず、それは外部の観察者だけが――年代記的にも心理的にさえも記述する事実と無関係で――果たせる本質的な務めである。ドイツ歴史学派の創始者レオポルド・フォン・ランケ〔一七九五―一八八六〕は、歴史を科学（Wissenschaft）と教育（Bildung）との合流点、つまり、厳密な研究方式とあらゆる知の生産努力における暗黙の教育的使命の合流点と見なしていた。同時に仕事であり使命である歴史は、ランケによると、主観的な形、ましてや私的な形は取らない☆4――マックス・ヴェーバーの科学的労働の定義によると、仕事と使命は職業（Beruf）というドイツ語の概念に結合される観念だが。ヘーゲル的用語では、国民国家がその達成を体現しているのに対して、歴史は集団的で公的、必然的に非人称的で客観的な語りであり、ときには公正証書や、データ化される報告書と混同される恐れがある。科学的な言説として考えられた歴史はその規則をコード化し、他の分野が完成した方法、とくに法のレトリック（証拠の提示に基づく説得術）や医学の実験的慣行（経験的観察に基づく診断）と同一化し融合する。過去の認識は、最近、人文・社会科学における言語論的転回の出現とともに再検討されたばかりの見方によると、まずその客観化と合理的記述を前提とする。

☆4 Georg G. Iggers, *Historiography in the Twentieth Century: From Scientific Objectivity to the Postmodern Challenge*, Middletown, Wesleyan University Press, 1997, p. 29-30. を見よ。

歴史記述の領域に記憶が侵入してからも、こうした原則は変わらなかった。その優れて主観的な性格を強調しながら、歴史家は記憶を相変わらず、すべて有効とされ、確かめられ、比較されることを要求する他の情報源のなかのひとつとして扱った。要するに、記憶は歴史家には新しい調査対象として立ち現われたのである。『記憶の場』〔一九八四年〕の序論で、ピエール・ノラは記憶と歴史のほとんど存在論的な区別――すでにモーリス・アルブバックスが一九二〇年代から定めていたもの――を再確認し、構成的二分法を強調した。つまり、記憶は思い出でつくられるのに対して、歴史は情報源に基づくのである。記憶はつねに生きた過去の存在であるのに対して、歴史は起こったこと死したものの不在と冷却を前提とする。記憶は、歴史が物化（もの化）し封印した経験として記述した過去の主観的な認識である。☆5

研究者は集団的記憶の歴史を書くことができるが、彼らの位置は前者〔生きた過去〕ではなく、後者〔不在と冷却〕の側にある。この点を強調してし過ぎることはないが、彼らにとって、記憶はその仕事場に溢れかえる古文書、史料、テクスト類、手紙、写真や映画などあらゆる種類の物象の脇にある、情報源のひとつでしかない。彼らが思い出に出会ったり集めたりしても、結局はそれらを確かめ、解読し、文脈に合わせて解釈しなければならず、それは彼らがそれらを「物化」しなければならないことになる、と言っても無駄である。彼らがそうしたくても、彼らにそれらを替えたり、彼ら自身の思い出と混ぜ合わせたりする権利はない。口承の歴史〔口

☆5 Pierre Nora, « Entre histoire et mémoire: la probléématique des lieux », dans Pierre Nora (dir.), *Les lieux de mémoire*, t. 1, *La république*, Paris, Gallimard, coll. « Bibliothèque illustreée des histoires », 1984, p. XVII-XLII. Maurice Halbwachs, *La mémoire collective*, Paris, Albin Michel, coll. « Bibliothèque de l'évolution de l'humanité », 1997 [1950]. を見よ。

承史学〕の専門家は、その証言が要求する尊敬、謙虚さ、慎みの念をもって過去の当事者の声を集めるが、彼は語りと事実の対応関係を綿密に確かめなくてはならないので、必要な批判的距離もってそうしなくてはならない。いくつかの場合、相手が嘘つきでなければ、いったん分析され説明されると、過去の認識において前進が可能になるのは、まさに証言者の言葉と証明された事実を接続することである。[☆6]

歴史家の目標は起こったことを理解することであり、どの程度過去の発見が彼に影響したか、またはその魂の深みを探る彼の助けになったかを示すことではない。彼自身の思い出のプリズムで過去を問うことは歴史家の仕事ではなく、回想録作者のそれである。この欲求を感じる者は日記のページと同じ内密の場でそれを満たす方がよかろう。それゆえ、『アンシアン・レジームと革命』(一八五六年)の作者トックヴィルは一八四八年の思い出を、その同時代人と彼自身を見ることができる一種の鏡と考えたのであり、読者に示される光景と見なしたのではない。この観察記録集は厳密に私的な性格をもち、死後にはじめて証言となった。彼の友人たちはそれを読むことができず、一八九三年にやっと公表されたのである。彼はこう書いている。「これを書きながら私が目指した唯一の目的は、孤独な歓び、人間社会の本当の光景を独り眺める歓びを得ることである」。彼はその思い出の表現が「率直なもの」であることを願ったのであり、そのためそれは「完全に秘密」[☆7]のままであらねばならなかったのである。

☆6　Alessandro Portelli, *Storie orali. Racconto, immaginazione, dialogo*, Rome, Donzelli, 2017. を見よ。

☆7　Alexis de Tocqueville, *Lettres choisies. Souvenirs (1814-1859)*, Paris, Gallimard, coll. « Quarto », 2003, p. 749.

三人称で書くことは歴史分野で共有された明白なルールとなっているので、歴史家にとって、彼自身の回想録を書くことは一種の侵犯行為だった。ジェレミー・D・ポプキンは、歴史は「自我の顕著な昇華を要求する」と指摘しているが、それは自伝を、この強固な規範を侵犯するものであることを多かれ少なかれ自覚した欲望の表われと定義づけることになる。[☆8] 実証主義が勝利した時代、フランスの歴史家は個性に対する嫌悪感をこれ見よがしに誇示した。『ルヴュ・イストリック〔史学雑誌〕』の創刊者ガブリエル・モノとその後継者ヌマ・ドゥニ・フュステル・ド・クラーンジュとシャルル・セニョボスは、彼らの分野が主観性を完全に消した一種の根柢的な禁欲主義であると考えていた。シャルル・ペギーは歴史と文学の分離を否定した最初の作家のひとりだが、こう嘆いている。そのような姿勢は歴史家の現在や環境を無視し、この無視を「過去の認識に近づくための条件そのもの」[☆9] ではなくとも、ひとつの力〔vertu〕と見なすことになる。出来事の客観化や距離化の作業としての歴史を語ることは匿名であらねばならず、また歴史家は自己顕示ではなく自己を抹殺せねばならなかった。

一九世紀後半、結局は文学から解放された科学的分野としての歴史の制度化は、イヴァン・ジャブロンカ〔一九七三—、歴史家、パリ大学教授〕の言によると、「私」の排除、すなわち、自然科学から借用した客観性のパラダイムに徐々に従うことを前提とする——このパラダイムの基礎はクロード・ベルナールが『実験医学研究序説』〔一八六五年〕において定めている。これは一方で出

☆8 Jeremy D. Popkin, *History, Historians, and Autobiography*, Chicago, University of Chicago Press, 2005, p. 285.

☆9 Charles Péguy, « De la situation faite à l'histoire et à la sociologie dans les temps modernes », *Cahiers de la Quinzaine*, 8e série, n°3, 1906, p. 17, cité par Christophe Prochasson, « Les jeux du "je": aperçus sur la subjectivité de l'historien », *Société et Représentations*, vol. 1, n°13, 2002, p. 210.

来事の観察と分析、他方でそれを行なう主体とのきわめて厳密な分離を要求していた。主観性を消しながら、歴史家は客観的で中性的な語りを確立するという幻想をもたらす「遍在的不在」の背後に隠れた。つまり、一種の「神のごとき語り手」として自己を表現すること、とイヴァン・ジャブロンカは結論づけた。[☆10] 彼が認めた唯一の主観性は過去の当事者のものだった。

ジュール・ミシュレの野心とは、『民衆』（一八四六年）から『フランス革命史』（一八五〇―一八五三年）までの主要著作において説明しているように、過去を再生し、その感動、情熱、希望、悲劇、飛翔などとともに生き返らせることであった。それは情報源の検証に基づく綿密な再構成の作業と、ある一定の時代の当事者との感情移入的な同一化を同時に要求していた。彼からみると、歴史家の目的は過去の「復活」だった。彼は起こったことを蘇らせ、その出来事に関与した者の精神を洞察しようとした。[☆11] 外見上の冷たさの背後で、アーカイブの記録資料には生の秘密が隠されているのだ。「これらの書類はただの紙ではなく、人間の生なのだ［……］。お静かに、死者の皆さん、どうか順番に願います。皆さんは全員、歴史に権利がありますから。［……］そして私がその埃を吹き払うにつれて、彼らが起き上がるのが見えた。彼らは、ミケランジェロの『最後の審判』か『死者の舞踏』におけるごとく、墓からある者は手、ある者は頭を引き出していた。彼らが私の周りで行なったこの熱狂の舞踏、私はこれを本書で再現しようと試みたのである」。[☆12]

☆10　Ivan Jablonka, *L'histoire est une littérature contemporaine. Manifeste pour les sciences sociales*, Paris, Seuil, coll. « Points histoire », 2017, p. 78 et 284. を見よ。

☆11　Jules Michelet, *Le peuple, suivi du Discours d'ouverture*, Paris, Flammarion, coll. « GF », 1992 [1848]; et *Introduction à l'histoire universelle*, Paris, Hachette livre / BNF, 2013 [1831]. Lionel Gossman, « Jules Michelet and Romantic Historiography », dans Jacques Barzun (dir.), *European Writers*, vol. 5, *The Romantic Century*, New York, Scribner, 1985, p. 571-606. を見よ。

☆12　Jules Michelet, *Histoire de France* [1833-1844], dans *Œuvres complètes*, t. 4, Paris, Flammarion, 1974, p. 272.

フランソワ・アルトーク〔一九四六―、歴史家〕によると、ミシュレのアプローチは、いくつかの点で、フュステル・ド・クラーンジュのものと対極にある。身を隠す代わりに、彼は死者と対話しようとした。アルトークはこう書いている。フュステルは「過去を知るため、その場に居合わせないように努め、自己自身を不在にし、消した。ところが他方ミシュレは不在と契約して、死者の訪問者になった。〔……〕そこには二つの不在の形、二つの時間との関係、二つの認識戦略、二つの歴史記述がある。ミシュレは、ペギーの言う意味で記憶の側、フュステルは歴史の側にいる」☆13。ミシュレは「歴史的自我（moi-histoire）★1」の創案者である、とクリストフ・プロシャソン〔一九五九―、歴史家〕は彼の『日記』を引用しながら指摘している☆14。異なった前提から出発しながらも、ドイツ歴史主義の支持者は彼らもまた、過去の当事者との同一化を歴史の語りの構築に必要な条件と見ている。ランケはそれを「感情移入」Einfühlung、ディルタイは「体験」Erlebnis と呼んだ☆15。ミシュレにとってもヴィルヘルム・ディルタイにとっても、この方式によって、歴史家は消えた社会の精神的・感情的世界を理解するため、それに浸透することができるが、しかしそれはもちろん、この精神的世界と歴史家自身の個性を混ぜ合わせることにはならない。つまり、彼らが勧める「感情移入」は応答可能な対話者の会話ではない。二人の歴史家は三人称の語りを問題意識にのせはするが、ただしそれを再検討するというのではない。

☆13　François Hartog, *Le XIXᵉ siècle et l'histoire. Le cas Fustel de Coulanges*, Paris, Seuil, coll. « Points histoire », 2001, p. 9. アルトーグは最近、「ミシュレはクロノス〔永続的な時間の流れ〕の時間軸から脱してカイロス〔一瞬のまたは主観的な時間〕の時間軸を受け入れ、死者に席を与えることに成功した」と書いている。François Hartog, « Temps et contretemps: Barthes, l'histoire, le temps », MLN, vol. 132, n°4, septembre 2017, p. 888.

★1　この原語 moi-histoire は本来「自己／自我－歴史」という意味で、自我と歴史の関係性を示すものだが、著者エンツォ・トラヴェルソによれば、「この表現は単数者として生きたただひとりの人間のプリズムを通してみた歴史を示す」ので文字通りの訳、つまり直訳が相応しいという。ただそれでは、訳語としては

新しい主観性の出現と、非人称の語りの実証主義的至上命令との緊張関係は一九世紀全体を通底している。歴史記述論争はその他にあるもののなかのひとつの表われにすぎない。同時代に、文学もまたこの新しい「自我」をめぐって分裂しており、研究者はこれを最初の近代的自伝であるルソーの『告白』（一七八二年）と対応させている。シャトーブリアン、ラマルティーヌ、ジョルジュ・サンド、アレクサンドル・デュマなどがこの例に従うが、抵抗と無理解にぶつかる。彼らのなかの筆頭、シャトーブリアンにあっては、雄弁がしばしば率直さに勝り、『墓の彼方の回想』（一八四九―一八五〇年）はしばしば老人ナルシスの心情吐露と見なされた。ネルヴァルは自己自身の夢想を紙に寝かせて、精神分析とシュルレアリスムの半世紀以上も前に、その病を美的創造の源泉に変じた最初の詩人だが、彼の自伝的テクストは狂人の錯乱であり、文学よりも医学にとって関心の対象と見なされていた。

作家の主観性の芸術的潜在力が完全に認められるには、二〇世紀初頭のアヴァン・ギャルドの到来を待たねばならないだろう。☆16 自然主義の終焉、絵画における写実主義の疲弊、最初の美的モデルとの対面写真からの解放などが、現実描写における断絶を画し、文学的な語りの年代順の時系列的な統一をひっくり返し、作者の主観性が登場人物のその傍へ飛翔することを可能にした。プルースト、カフカ、コンラッド、スヴェーヴォ、ピランデルロ、ジョイスなどが文学におけるこの近代主義の断絶を体現し、小説をして一種の「内的独白」とする。エリオット

坐りが悪いので歴史的自我（歴史に対する自我）とした。moi historique とすると、若干ニュアンスが異なるというが。

☆14　Prochasson, « Les jeux du "Je" », *loc. cit.*, p. 208. これに関しては、リオネル・ゴスマンの明快な分析参照。l Gossman, « Jules Michelet : histoire nationale, biographie, autobiographie », *Littérature*, n°102, 1996, p. 29-54.

☆15　レオポルド・フォン・ランケによると、「感情移入はある一定の時代、その同時代人の精神に身を置くこと」を意味していた。Leopold von Ranke, *Die grossen Mächte: Politisches Gespräch*, Göttingen, Vandenhoeck & Ruprecht, 1955, p. 22; Wilhelm Dilthey, « The Construction of the Historical World in the Human Studies » [1910], dans *Selected Writings*, Cambridge, Cambridge

とパウンドが詩に、ブレヒトが演劇に対して同じことをする。しかし一九世紀を通じて「ずっと」、バンジャマン・コンスタンからプルーストまで、作家はその批判者たちに、彼らの小説の「私」はそれを自伝にしないし、「想像力から生まれた作品」[☆17]の性格を問題にするものではないと指摘しなければならなかった。歴史家の方はこうした「自我」をめぐる文学論争には無関心なままである。一九世紀に対して自伝のパラダイムを定めた本である『告白』の作者の関心を引いたのは、「歴史的真実ではなく、過去をその内部において出現させる意識の高まりである」[☆18]。したがって、自伝はまだ歴史家に関係するものではなかった。

　ミシュレのほぼ一世紀後に、今度はジークフリート・クラカウアーが歴史家の務めは死者を「蘇らせる」ことにある、と改めて主張した。彼にとって、歴史は同時に多形態の現実と語りであり、事実の総体であり、その表現である。不可避的に主観性の一部分を通して、過去に遡って構成される歴史は、自然科学とは同一視されないし、異論の余地なく文学的、さらには芸術的な次元を有する。換言すれば、歴史家は自然科学者でも小説家でもないが、それはたとえ前者のように、彼が発明されない物質、つまり生《なま》の物質を使って作業するとしても、またたとえ後者のように、彼がものを書く、すなわち、この物質を語りの織物、筋立てに変えるとしても、そうである。オルフェのように、とクラカウアーは『歴史』（一九六九年）〔『歴史——永遠のユダヤ人の鏡像』平井正訳、せりか書房〕においてこう説明する。「歴史家は死者を生に連れ戻すために地下の世

University Press, 1976, p. 170 et 211-212; Iggers, *Historiography in the Twentieth Century*, *op. cit.*, p. 37. も見よ。

☆16 Michel Brix, « Un suicide littéraire: autobiographie et réalisme chez Gérard de Nerval », *Revue d'histoire littéraire de la France*, vol. 115, n°3, 2015, p. 559-578. を見よ。

☆17 Marcel Proust, *Contre Sainte-Beuve*, Paris, Gallimard, coll. « Folio essais », 87 [1954].

☆18 Jean Starobinski, *Jean-Jacques Rousseau. La transparence et l'obstacle*, Paris, Gallimard, coll. « Tel », 1976, p. 236. この心理学的アプローチはジェームズ・オルネーの自伝的エクリチュール解釈の基礎である。*Metaphors of Self: The Meaning of Autobiography*, Princeton, Princeton University Press, 2017 [1972].

界に降りなくてはならない」。この危険な行動は芸術的達成になり得るが、しかし彼が歴史の枠内に留まりたいならば、その規則を遵守しなくてはならない。そしてクラカウアーはこう結論する。彼の「芸術は匿名である。なぜなら、彼はまず、歴史家の能力においても、彼の予想される修練期の重要性においても、自己を消したり自己を開花したりする態度を示すからである」[☆19]。

決定的な因果関係の規則を認める歴史家にとって、非人称の記述はドグマである。フランソワ・シミアン〔一八七三―一九三五〕とカール・ランプレヒト〔一八五六―一九一五〕によると、歴史科学の目的は生の特異な唯一性（singularité）を贖うことではなく、むしろ強制、繰り返し、規則性から成る風景や時間性に生を刻み込むことである。特異唯一なもの（unique）は「〔因果関係の〕原因が不明で、科学的に説明できない」[☆20]、とシミアンは書いている。この過去の「科学的」解釈は歴史家の主観性と過去の当事者のそれとの遭遇点の対極にある。戦後の構造主義的歴史記述、「主体の死」の時代はこの決定論の最も根柢的な形態は放棄するが、非人称の記述という聖なる規範は諦めない。『地中海』（一九四九年）の作者であるフェルナン・ブローデルにとって、歴史は「人間を匿名化する」プロセスであり、そこでは、生ある者（人間）は、重層化された人口的、地理的、経済的、精神的構造によって広大な空間に組み入れられ、形づくられる[☆21]。この概念を「主体なきプロセス」[☆22]というあの有名な歴史の定義づけで体系化する役を引き受けたのは、

☆19　Siegfried Kracauer, *L'histoire. Des avant-dernières choses*, Paris, Stock, coll. « Un ordre d'idées », 2006, p. 140.

☆20　François Simiand, « Méthode historique et science sociale », *Revue de synthèse historique*, n°6, 1903, p. 129-157. Sabina Loriga, *Le petit X. De la biographie à l'histoire*, Paris, Seuil, coll. « La librairie du XXIe siècle », 2010, p. 48. を見よ。

☆21　Fernand Braudel, *La Méditerranée et le monde méditerranéen à l'époque de Philippe II*, t. 2, *Destins collectifs et mouvements d'ensemble*, Paris, Armand Colin, 1966, p. 520. Loriga, Le petit X, op. cit., p. 51. を見よ。

☆22　Louis Althusser, « La querelle de l'humanisme » [1967], dans *Écrits philosophiques et politiques*, t. 2, Paris/Louvain, Stock/IMEC, 1995, p. 468.

マルクス主義哲学者ルイ・アルチュセールである。「主体」は社会空間と継承したハビトゥス[★2]の外では存在しないことを強調しながら、今度はピエール・ブルデューが「伝記的幻想」と称したものを、地下鉄乗車のメタファーを示唆してこう告発している。「生を、おそらく確たる不変なものは固有名詞しかもたない〝主体〟との繋がり以外に絆のない、一連の均一で自足した相次ぐ出来事として理解しようとすることは、地下鉄網の構造、すなわち、さまざまな駅間の客観的なマトリックスを考慮せずに地下鉄のコースを正しいと思い込むのとほとんど同じくらい馬鹿げている[☆23]」。社会的、経済的、文化的、象徴的関係の複雑な組織に巻き込まれて、主観性は消え去るのである。

★2　これは一般に外観、体型、習性などと辞書にはあるが、ここでは「日常的経験において蓄積されるが個人には自覚されない知覚・思考・行為などを生み出す性向」のこと。

☆23　Pierre Bourdieu, « L'illusion biographique », *Actes de la recherche en sciences sociales*, n°62, juin 1986, p. 69-73.

三人称の叙述の最も迫真的な例はたぶん、レオン・トロツキーが、スターリンのソ連から追放されて間もないころ、イスタンブール近くの小さな島プリンキポ（いまはビュユックアダ）にいたときに書いた『ロシア革命史』（一九三〇―一九三二年）であろう。自らがきわめて重要な役割を果たした歴史的な出来事に関する証言をするさい、その語りに体験的色彩を与えないために、彼は歴史家として、モスクワの革命史研究院が公表した、この出来事に関して当時手に入るきわめて広範な記録資料を基にして書くことにした。したがって、彼は自己自身について三人称で書き、自分の名で自分を指し、壮大な歴史絵巻を演じた他の役者たちと同じ位置に身を置いた。彼は主役としての地位から得た認識論的優位を隠さず、著作が思い出で育まれ満たされていることを暗に認めたが、その再構成の客観的性格、原資料によって綿密入念に裏づけられた物語であることを強調し、あらゆる個人主義的な誘惑とは距離を置いた。なるほど彼は、その著作が、豊かだがまた期待はずれな、限られた一面的な記憶に彩られていることを正直に認めているが、しかしそれをあらかじめきわめて厳密に確かめずにはけっして使わなかった。また「まことしやかな公平無私」を装う気持ちはいっさい否定し、同時に彼の研究は「科学的誠実さ」に基づいていると断言する。それはこの研究が「事実の真摯なる研究、現実と関連することの論証、その運動の因果関係の法則の説明[☆1]」を支えとしていることを意味していた。

彼から見ると、それが唯一可能な「歴史的客観性」である。本のなかで、彼は目立とうとしたり、選択したことを回顧的に見て正当性を与えたりするつもりはなかったと強調している。むしろ記述する出来事に対して距離をとり、自らが演じた役割を批判的に解釈しようとした。もちろん、彼は自画像を描くことはできない。また、その歴史的なフレスコ画に登場した他の多くの人物に対してしたように、彼自身の個性の描写を試みることもできない――このフレスコ画には、皇帝ニコライ二世からカレンスキー、またユリウス・マルトフやフョドール・ダンのようなメンシェヴィキのリーダーから、レーニン、ジノヴィエフ、カメーネフをはじめとした彼らボリシェヴィキ自身のリーダーまでが登場している。

第二巻の序文で、トロツキーはディケンズとプルーストを引用し、過去を語ることはそれに麻酔をかけることを意味するのではないと指摘している。つまり、歴史の運動や流れにリズムをつける集団的ドラマから、笑いと涙は消せない。個人の精神状態、気分、情熱、感情、階級、集団の運動は、プルーストが何百ページにもわたって、その登場人物の精神や心理を探究するさいのものと同じく、注目に値するのである。ナポレオン戦争の忠実な物語は、戦場にお

☆1　Léon Trotsky, *Histoire de la révolution russe*, t. 1, *La révolution de Février*, Paris, Seuil, coll. « Points essais », 1995 [1930], p. 36. 類似の考察はプロスペール＝オリヴィエ・リサガレイ『一八七一年のコミューンの歴史』(La Découverte, 2004) にも当てはまるが、彼は当事者でも、著作をやはり証人ではなく歴史家として書いた。

ける兵の配置・戦闘隊形、将軍連の戦略的・戦術的選択の合理性や有効性を超えてゆくものとなる、とトロツキーは付け加えている。この物語はまた理解されなかった命令、地図を読めない将軍連の無能力、攻撃前に将兵を襲うパニックや恐怖の疝痛なども考慮している。[☆2]本職の歴史家——獅子の宰相が政治家や軍人以下に分類する人間カテゴリー——に対して軽蔑心を隠さず、その第二次世界大戦史六巻を「個人的な語り[☆3]」として示したチャーチルと違って、トロツキーは作家として、とりわけ歴史家として認められたいとするが、それは三人称の語りを前提としている。

こうした姿勢はより一般的な傾向としてある。〔トロツキーのよりも〕二〇年ばかり前、アクトン卿〔一八三四—一九〇二年、英国の歴史家〕は一三巻の記念碑的著作集、『ケンブリッジ現代史』〔一九〇二—一九一二年〕版を監修していたが、執筆者たちに完全な三人称形式で書くよう要求した。彼がこの出版企画の責任者たちへ手紙で指示したように、読者は「オックスフォード司教［スタッブズ］の執筆がどこで終わり、フェアーベアーンやガスケット、リーバーマンやハリソンのものはどこから始まっているのか[☆4]」わからないようにすべきだったのだ。数十年間、主観性に言及するというだけで、英米の歴史家たちに必然的にきわめて大きな懐疑論をもたらしていたのだから。大勢に反して、ピエール・ノラよりも一五年も前に、ルイス・ペリー・カーティス〔一九三二—二〇一九、米国の歴史家〕は、一九七〇年代に『歴史家のワークショップ』という歴史家の自伝

☆2　Léon Trotsky, *Histoire de la révolution russe*, t. 2, *La révolution d'Octobre*, Paris, Seuil, coll. « Points essais », 2017 [1932], p. 12-13.

☆3　Winston Churchill, *The Second World War: Triumph and Tragedy*, Boston, Houghton Mifflin, 1953 [1948], p. v.

☆4　Richard Vinen, « The Poisoned Madeleine: The Autobiographical Turn in Historical Writing », *Journal of Contemporary History*, vol. 46, n°3, 2011, p. 532. を見よ。

集を編んだ。彼が執筆を依頼した五二人中三七人の研究者が拒否し、疑わしきを越える企てだと批判したのである。彼らのひとりは、「科学的観点からも美学的観点から見ても」、歴史分野に対する精神分析の有害な影響を与えるような要請に憤慨したという☆5。

言うまでもないが、この歴史的客観性を物神崇拝化する傾向は、往々にして後ろぐらい目的を隠すために使われたアリバイにすぎなかった。一九五〇年代、ドイツ連邦共和国（ＲＦＡ）で、多数の元ナチ高官をこっそりと復権させて、ホロコーストを隠蔽しようとしたとき——シニシズムがないわけではなく、「過去を制御する」とか「克服する」（Vergangenheit Bewältigung〔過去を克服すること〕）と称されたが——、ユダヤ人研究者はしばしば同僚から不信の目つきで見られていた。エルンスト・ユンガーの元秘書で保守革命の歴史家アルミーン・モーラーや、元ヒトラー青年隊員で最近ミュンヘンの現代史研究所に採用されたマルティーン・ブロスツァートのような人びとは、国家社会主義の歴史を研究するユダヤ人研究者がそれ相応に客観的ではないと見なしていた。モーラーとブロスツァートによると、レオン・ポリアコフ〔一九一〇—一九九七年、フランスの歴史家〕やヨーゼフ・ヴルフ〔一九一二—一九七四年、ユダヤ系ドイツ人歴史家、ショアの生残り〕——戦後のドイツでナチ犯罪とホロコーストに関して幅広く資料収集した最初の者たち——の研究は、有害な論争的意図によって損なわれ、辛辣さと怨みに浸されていた。この先入観によって、この歴

☆5 *Ibid.*, p. 533.

史家たち〔ポリアコフやヴルフ〕はヒトラー主義の客観的認識を豊かにするよりも、脱ナチ化委員会のなかで働く資格を得たようなものだ、と彼ら〔モーラーとブロスツァート〕は主張していた。彼らの反ナチの論拠は、真の「合理的確信」には至らない感情的なアプローチが危険なものであることを広めた、とブロスツァートは述べている。だが彼の結論ははるかに厳しかった。「主義信条として示された辛辣さや嘲笑的な態度は、国家社会主義的現象を読解する助けにはならない[☆6]」。

三〇年ばかりあとになって、ブロスツァートはザウル・フリートレンダーとの書簡で実質的に類似の立場を擁護した。犠牲者に特有な「思い出の神話的形態」に対して、彼は国家社会主義の歴史化（Historisierung）という科学的方法を弁護したが、これは「客観化」と「説明記述のため距離をおくこと」に基づいて、理解はできるが不毛な、たんなる道徳的断罪の限界を越えていた[☆7]。これに反論して、フリートレンダーは、ユダヤ人とドイツ人の歴史家にはナチの過去に対して異なった「アプローチの角度」（choice of focus）があり、「地平の融合」はまだ見えてこないと指摘した[☆8]。そう事実確認すると、彼は歴史記述における研究者の主観性を認め、ブロスツァートがかぶった科学という仮面の欺瞞を強調することになる。つまり、なぜヒトラー青年隊の代表がユダヤ人よりも「客観的」であろうかと問い、そしてこう付け加えている。歴史家は「個人的な思い出、より一般的な社会的強制、獲得した知識、批判的距離化の努力によってできた網の中に抜け出しがたく捉われているのだ[☆9]」。しかしながら、たとえどんなに明晰であっ

☆6　Nicolas Berg, *The Holocaust and the West German Historians: Historical Interpretation and Autobiographical Memory*, Madison, University of Wisconsin Press, 2015, p. 194. に引用。

☆7　Martin Broszat et Saul Friedländer, « A Conversation About the Historicization of National Socialism », *New German Critique*, n°44, 1988, p. 87-90.

☆8　*Ibid.*, p. 125.

☆9　*Ibid.*, p. 120.

ても、この見解は、ナチ時代の歴史記述が「他のあらゆる時代と同様厳密に科学的な」[☆10]基準を守らねばならなかったという原則にも、また概念的な歴史に対しても語りの歴史に対しても、三人称で書くという要求にも異議を唱えないことになる。

自己自身の戦争体験をナチ・ドイツの「客観的」理解に変えながら、ブロスツァートは幅広く共有された幻想に屈した。ホロコーストの特異性をめぐるドイツの歴史家論争（Historikerstreit）の枠内において、アンドレアス・ヒルグルーバーは無頓着に、第二次世界大戦の歴史家はドイツ市民住人の苦悩を考慮し、赤軍の残酷さと破滅的な復讐から市民を守るために果たした国防軍兵士の絶望的な努力を理解すべきであると書いた。[☆11]ユルゲン・ハーバーマスは彼に、東部戦線でのドイツ軍兵士の「英雄的な抵抗」がなければ、ナチの絶滅センターは一九四五年一月まで機能することができなかっただろうと指摘している。[☆12]

ヒルグルーバーがその著『二通りの滅亡』（一九八六年）において提案した戦争物語は、一九八〇年代までドイツで広まった精神的傾向の表われである。西ドイツの歴史記述によって数十年間培われてきた科学的客観性の神話は、実際には、戦争をしてきた学者世代の主観性を隠蔽することに役立ったのであり、彼らはナチ体制に巻き込まれて、多かれ少なかれ意識的に自己弁明的な狙いを正当化するため、使い慣れた多量の実証主義的論拠を動員した。この種の「歴史的客観性」は過去の亡霊にとり憑かれた国民的無意識の見せかけにすぎなかったのである。

☆10　*Ibid.*, p. 92. この対話については、わたしのエッセイ « Nazisme: un débat entre Martin Broszat et Saul Friedländer », dans *L'histoire comme champ de bataille. Interpréter les violences du XXe siècle*, Paris, La Découverte, 2012, p. 129-154. を見よ。

☆11　Andreas Hillgruber, *Zweierlei Untergang: Die Zerschlagung des Deutschen Reiches und das Ende des europäischen Judentums*, Berlin, Siedler, 1986, p. 24-25.

☆12　Jürgen Habermas, « Une manière de liquider les dommages », dans Rudolf Augstein *et al.*, *Devant l'histoire. Les documents de la controverse sur la singularité de l'extermination des Juifs par le régime nazi*, Paris, Éditions du Cerf, coll. « Passages », 1988, p. 47-60. この共著にはこの論争のあらゆる記録資料が含まれている。

しかしながら、西ドイツの研究者だけが主観性の罠に落ちたのではなかった。戦後の最も重要な歴史家のひとりであるジョージ・L・モッセ〔一九一八—一九九九、ドイツ生まれのアメリカの歴史家〕はファシズムに関する先駆的な論考に、次のようなムッソリーニとヒトラーとの奇妙な比較を加えるのが妥当であると考えた。彼は、「統領（Duce）はより大きな人間性を示している」と言ったあと、「ムッソリーニはアウシュヴィッツをつくらなかった」[☆13]と付け加えている。この二人の独裁者の性格の比較にはなにかしら当惑させられるものがある。死去する少し前に出版された回想録において、モッセはドゥーチェに対する好意的な見方を説明するヒントを与えている。『歴史との対決』（一九九九年）にはこうある。一九三六年、まだ若いジョージは母とイタリアを旅行していたが、ちょうどそのころムッソリーニとヒトラーがベルリン゠ローマ枢軸を締結していた。この政治的転換で追放されることを恐れた彼の母は、ムッソリーニにすぐに保護を依頼し、自分たちが望む限りイタリアに留まれるよう確約してほしいと手紙を書いた。ドゥーチェは、ジョージの父で、ヴィルヘルム帝国とヴァイマル共和国下でドイツ・メディア界の大物だったハンス・ラハマン゠モッセが、第一次世界大戦勃発後、社会党と断絶した彼に与えてくれた援助を忘れていなかった。モッセは、このエピソードは、「ムッソリーニの性格に、少なくとも恩義に報いる分別があったことを示すものだ」[☆14]と書いている。まあいいだろうが、そのような挿話がエチオピアやリビアの歴史家に語られることは、まずあるまい。またこうも言え

☆13 George L. Mosse, *La révolution fasciste. Vers une théorie générale du fascisme*, Paris, Seuil, coll. « XXe siècle », 2003, p. 65-70.
☆14 George L. Mosse, *Confronting History: A Memoir*, Madison, University of Wisconsin Press, 2000, p. 108-109.

る。この同じ一九三六年、イタリア軍がエチオピアで行なったガス爆弾爆撃や他の虐殺を命じたり同意したりした指示、電報や書簡もまた彼の個性を照らしだすが、はるかに暗い光で照らしている、と。他の独裁者のように、ムッソリーニは寛大でもあり残酷でもあった。したがって、歴史家は、一方的な情報源、ましてや彼ら自身の思い出や共感に基づいて一般的な結論を引き出してはならないだろう。

あらゆる歴史記述に内在する主観性の役割はのちになって認められたが、しばしば恥じらいから隠されていた。歴史的真実擁護のための大多数の闘いにおいて、それには資格がなかった。例えば、ドレフュス大尉に名誉を取り戻すためには、彼を狙った告発が偽りであることを科学的に証明しなければならなかった。またネガショニスト〔アウシュヴィッツ否定論者〕の嘘が却下されたのは、獲得知識と何度も証明された客観的現実の名においてである。ロベール・フォリソン〔典型的な修正主義者〕のネガショニスト的主張に対する最も有効な答えのひとつは、その教え子のひとりジャン゠クロード・プレサックのもので、彼はガス室を神話にすぎないと深く確信しており、明白な事実に屈するまでそれを証明しようとして、その起源と技術的な機能に関するきわめて資料豊富な論文を書いたのである。☆15

科学主義とかナイーヴな実証主義であるという非難を向けられにくい何人かの歴史家は、彼らに直接、まぢかに関係するテーマについて論文を書いたが、主観主義の非難に身をさらさな

☆15　Jean-Claude Pressac, *Les crématoires d'Auschwitz. La machinerie du meurtre de masse*, Paris, CNRS, coll. « Histoire du XXᵉ siècle », 1993.

いよう三人称で書くことを選んだ。一九五八年、当時キャリア初期の若きギリシア学者だったピエール・ヴィダル＝ナケは、名前に「歴史学教授資格者」と付して『オーダン事件』[★1]を出版した。アルジェの若い数学者の失踪の公式解釈は恥知らずな嘘であり、彼はそれを歴史家の厳密さで証明しようとした。[☆16]何年も経ってから、彼は回想録で、アルジェリア戦争に対して「ドレフュス派的」〔真実擁護の〕参加をしたことの主観的な理由を明かした。すなわち、アウシュヴィッツに強制収容されて死んだ両親の〔精神的〕遺産、父親の熱烈な共和主義と、彼から見てまったく単純に耐え難い事実、つまり一五年前のフランスにおけるゲシュタポと同様に、フランス兵がアルジェリアで拷問を行なっても罰せられないということに対する怒りである。一九五八年、まず権力が嘘をついていることを証明しなければならなかった。個人的次元の考察だけならただ彼の論証を弱めたであろう。

三〇年後、カルロ・ギンズブルク〔一九三九―、ミクロストリアの創始者〕が『裁判官と歴史家』〔一九九一年〕[☆17]を書いたのは異端審問所の歴史家として、である。そこで彼は、「継続闘争」(Lotta Continua)の元リーダー、アドリアーノ・ソフリ〔一九四二年―、ジャーナリスト〕が鉛の時代〔一九六〇年代後半から一九八〇年頃までの時代〕にミラノの警視殺害を促した廉で告発された訴訟が推測仮定に基づくだけで、被告人の罪状は先験的に神学的ではなく、イデオロギー的なものとして受け取られるべきもので、それゆえ証明される必要がないことを示すために知識を総動員した。のちのインタビュー

★1　一九五七年、アルジェリア戦争中、若き数学者で共産党員のアルジェリア大学助手モーリス・オーダンがフランス軍に拘束されたあと、行方不明となった事件。二〇一八年、仏大統領マクロンがこの偽りの失踪事件に対する仏政府の非を認めて遺族に国家として正式に謝罪した。

☆16　Pierre Vidal-Naquet, *L'affaire Audin (1957-1978)*, Paris, Éditions de Minuit, coll. « Documents », 1989.

☆17　Carlo Ginzburg, *Le juge et l'historien. Considérations en marge du procès Sofri*, Lagrasse, Verdier, coll. « Verdier poche », 1997.

で説明したように、ギンズブルグはソフリの有罪性を確信した架空の読者向けにその本を書いて、論証によって彼らの考えを変えさせなければと思ったという。[☆18] 彼は友人の無実を証明したかったことを正直に認めたが、ただもし彼らの友情物語に一章を割いていたならば、彼の論拠そのものがそれほど堅固でも信用できるものでもないように見えたであろう。彼の本は忠実さの証言ではなく、法的な迫害の歯車装置の暴露を目指していたのである。同時期に、クラウディオ・パヴォーネ〔一九二〇―二〇一六、歴史家〕はイタリア・レジスタンスの歴史記述を刷新し、国民解放闘争としての規範的な読解を越えて、階級戦争として、またとくに「内戦」[☆19] として再解釈した。彼は若き反ファシズムの闘士としてこの戦争に参加したことを隠さなかった――そのため一年間投獄されている――が、ただ証人として書いたのではない。彼がレジスタンスの倫理を探究し分析しようとしたならば、それは批判的距離を要求し、彼はそれを証言と、ましてや一人称で書くことと矛盾すると考えたのである。

こうした例すべてでは、最近の時代まで、過去の当事者の主観性を考慮することは、歴史家にあっては、つねに彼ら自身の主観性と距離を置く努力を伴うが、ただそれを否定するためではなく、その帰結をコントロールするためであり、また有害な干渉がときには彼らの研究の成果を弱めたり、ときにはその客観性について疑念を引き起こしたりすることを避けるためである。多くの研究者にとって、この種の懸念は今日では時代遅れの遺物と思われているが。

☆18 Paolo Mauri, « Se lo storico accusa il giudice », *La Repubblica*, 4 avril 1991.
☆19 Claudio Pavone, *Une guerre civile. Essai historique sur l'éthique de la Résistance italienne*, Paris, Seuil, coll. « L'univers historique », 2005 [1990].

第3章　歴史的エゴ★1

変化の最初の徴候は一九八〇年代に現われた。知的な面では、まず記憶に関する劇的な飛躍的展開と、科学の内部にジャンルとしてのアイデンティティへの問い質しをもたらした言語論的転回があったことだ。それは、政治面で、ドナルド・レーガンとマーガレット・サッチャーが体現した新保守主義への方向転換と一致するものだった。公的言説が犠牲者と人権に集中したのに対して、歴史家は以前の二〇年間を支配した分析カテゴリー、とりわけ階級と集団行動を放棄し始めた。構造主義の大波が枯渇するとともに、主体／主観が力強く回帰し、その権利を要求した。前世紀末の一〇年間に、共産主義の崩壊は二一世紀の世界を大変動させ、伝統的なアイデンティティの基準となるものをすべて根底から揺るがした。主体性の復帰はこの方向喪失を反映し、以前の解釈の鍵ではもはや理解できなくなった世界に入ったことを示していた。一九七九年、ローレンス・ストーン〔一九一九—一九九九、英国の歴史家〕は予見者として「物語への回帰」を予告した論説を書き、注目された。すなわち、その研究分野の獲得物——とくにその分析的性格——を問題に付すことなく、歴史家は語りという叙述様式を取り戻したのである。☆1

★1　これも前出の moi-histoire の訳語に準ずる。

☆1　Lawrence Stone, « Retour au récit ou réflexions sur une nouvelle vieille histoire », *Le Débat*, n°4, 1980, p. 116-142.

一九八七年、『記憶の場』に関する歴史記述の大作業場を除幕して三年後の一九八七年、ピエール・ノラは、共著『歴史的エゴ試論』に七人のフランス人研究者を集めた。題名は喚起力に富んでいるが、彼によると、たいして成功はしなかったという。それはまだ形をなさない傾向を予示していたのだ。序文において、彼は正当にもこの企てを「実験室の試み、すなわち、歴史家が自己自身の歴史家になろうとすること」[☆2]と紹介している。もちろん、それは彼らの生の内面を明かすことを意味するのではない。むしろ問題は、彼らの学問的道程の再構成、彼らの個人的な仕事場の探索、彼らの知的な慣習、彼らの方法論的選択であり、そのようにして彼らの歩みと活動を振り返るよう促すことであって、それは実り多いものになることができたのである。誤解を避けるため、ノラはそれを実行することの限度を定めている。「間違っても文学的な自伝、無駄な内的告白、抽象的な信仰告白、素人の精神分析であってはならない」[☆3]。

一九世紀の先人たちが古文書類のカードの影に隠れ、さらには「個性を隠蔽する」傾向にあったのと違って、これから現代の歴史家は、「自分の研究と育んだ緊密かつ内的で、まったく個人的な関係を告白する」用意がなくてはならない、とノラは述べている。まだひとつの仮定、一本の探索すべき道の問題でしかないことだが、それでも試みてみなくてはならなかった。実際は、この自己意識は客観性という紋切り型の誓約よりも確実で効果的な「隠れ家」であった。この企ての正当性は明白である。「平静な調査から遠ざかる代わりに、実存的な自我

☆2 Pierre Nora, « Introduction », dans Pierre Nora (dir.), *Essais d'ego-histoire*, Paris, Gallimard, coll. « Bibliothèque des histoires », 1987, p. 5.

☆3 *Ibid.*, p. 7.

投入の暴露と分析は理解の道具であり、梃子である」[4]。したがって、目的は依然としてこの分野の中心にある客観性原則の再検討ではなく、むしろ歴史的客観性が、自己の個人的関与を意識し、研究中に鏡に自分の姿を見ることができる研究者、歴史記述的実証主義のナイーヴで空疎な性格を熟知した経験豊かな歴史家を要求していることを確認することである。しかしながら、この企ては冒険的願望であった。というのも、ノラがそれを「歴史的エゴというジャンルの生成。歴史意識の新時代のための新ジャンル」[5]と定義づけていたからである。

『歴史的エゴ試論』はモーリス・アギュロン、ピエール・ショニュ、ジョルジュ・デュビ、ラウル・ジラルデ、ジャック・ル・ゴッフ、ミシェル・ペロ、ルネ・レモンなどのテクストを集めていた。一九八〇年代には、なるほどフェミニズムに歴史はあったが、ジェンダーの平等、男女同数はまだアカデミックな風習には入っていなかった。ノラ自身が序文で指摘しているごとく、たとえ誰もが「提案の方法論的関心」を否定しなかったように見えても、断る者が多かったので、この共著をまとめることは容易な仕事ではなかった。多くの歴史家にとって、一人称で書くことはタブーを冒すことであったのだ。ポール・ヴェイヌはのちに回想録を書くが、拒否をこう正当化している。「私にはできない。だが試みたことは間違いではない」[6]。ピエール・ヴィダル゠ナケやアニー・クリージェルのような未来の回想録作者も拒んだ。ピエール・グベールの方は、三人称で書いたあとに断念した。

☆4 *Ibid.*, p. 6.
☆5 *Ibid.*, p. 5.
☆6 François Dosse, *Pierre Nora. Homo historicus*, Paris, Perrin, 2011, p. 393. に引用。« Ego-histoire » dans Claude Gauvard et Jean-François Sirinelli (dir.), *Dictionnaire de l'historien*, Paris, Presses universitaires de France, coll. « Quadrige », 2015, p. 210. も見よ。

最近、パトリック・ブシュロンが現代版回想録研究所IMECのアーカイヴで、一九八三年刊行のジョルジュ・デュビの詩論の初版を見つけた。それは、四年後に出版されたものとは著しく異なっており、とくに三人称で書かれていた。その冒頭にはこうある。「一九一四年、総動員令の数日前、ジョルジュ・デュビの両親は結婚式を挙げていた。彼らのひとり息子は、一九一九年一〇月七日、パリ一〇区で生まれた。当時、父は三六歳、母は二九歳だった」[☆7]。文体は凝った文学的なものだが、読んで心地よかった。ただし、職業としての歴史家を論じている『歴史は続く』（一九九一年）[☆8]には知性、情熱、学識、批判的精神の断章が溢れているのに対して、この最初の歴史的エゴ試論は無味乾燥なもののように思える。つまり、超然的で上品、少し凝りすぎた、己れの輝かしいアカデミックなキャリアに満足した物語なのだ。非常に早くからマルク・ブロックの『王の奇跡』と『封建社会』に魅了されていた彼は、この読書によって、「なにも備えもないまま中世史研究者になった」[☆9]と語っている。一九三〇年代末、G・D――以下のページでは、自分をこう呼んでいる――はブザンソンに居を定めることになる。「彼には、素朴で堅固、ブルジョワ的な気取りのないこの町が気に入った」[☆10]。この試論は、ポール・ルメルルとフェルナン・ブローデルが彼のために尽力してくれたお陰で、コレージュ・ド・フランスに昇格したところで終わっている。「G・Dはこの学術研究院が彼を歓迎してくれた厚意に驚かずにはいられなかった」、と彼はまさにブルジョワ的な気取りで書いて、またまったく型

☆7 Georges Duby, *Mes ego-histoires*, Paris, Gallimard, coll. « Blanche », 2015, p. 23.
☆8 Georges Duby, *L'histoire continue*, Paris, Odile Jacob, 1991.
☆9 Duby, *Mes ego-histoires*, *op. cit.*, p. 41.
☆10 *Ibid.*

にはまった謙虚な告白でこう結語している。「この種の栄誉にきわめて鋭敏な彼は、それでもときにはふと、周りで自分の名前で話されている人物が他人であるような気がした」☆11。ときどきは、ヴォルテールの『歴史的註釈』（一七七六年）を読んでいるような気がするが、これもまた三人称で書かれている。「プロイセン王は当時彼をムッスュー・ド・ヴォルテールと呼んでいた……」☆12。

文学的な形をとったＣＶ〔履歴書〕であるこの初版には明らかに失望し、「気取っているように見えるのを恐れて」、デュビは一人称で書き直すことにし、まず読者に注意を促さないわけにはいかなかった。だが彼はその生を語りはしないだろう。「私はこの歴史‐エゴ〔歴史的エゴ〕において自己の一部しか披歴しない。お望みならば、農夫‐エゴまたは労働者‐エゴ ego-faber である」☆13。彼は自分が好むものについてはなにも言わない。例えば、演劇や音楽に対する情熱のことなど話さず、自己検閲を課していることを強調するほどである。「ここでは、本質的なものが沈黙に付されていることは明らかである」。彼は読者には自分の「公的な生活」しか見出せないと予告し、「用心深い〔三人称の〕眼差しに従うものを対象とするよう」忠告さえした。この慎みと自己検閲にもかかわらず、デュビははるかに生き生きとした個人的なテクストを書き上げている。だが結論において、彼は行なったばかりのことに対する不信感を表明せずにはいられなかった。彼の不満はテクストや達成したことにはそれほど関係しなかった。それは懐

☆11　*Ibid.*, p. 65-66.
☆12　Voltaire, « Mémoires pour servir à la vie de M. de Voltaire, écrits par lui-même », dans *Écrits autobiographiques*, Paris, Flammarion, coll. « GF », 2006 [1759], p. 80.
☆13　Duby, *Mes ego-histoires*, *op. cit.*, p. 69.

疑的精神からきており、そのため、彼は歴史家にとって自己自身の歴史を書くという可能性さえあると見なしていた。ノラが当時到来を願っていた「新精神」は彼の熱情を駆り立てなかった。彼は、歴史家が自己に係わる思い出を論ずるために、ほかの誰かよりもよい立場にあるという気がせず、後世の人びとの非妥協的な精神に判断を任せた。「もし偶然にも、あとになって誰かが二〇世紀の三分の二が経ったころ、フランスで歴史家という職業がどうであったか情報を得ようとするならば、この証言を厳しく批判してほしいものだ」[☆14]。したがって、これは彼の内的生活を明かすことの拒絶であり、その知的自画像を描く試みの失敗に裏打ちされていたのである。

ピエール・ノラはたぶん、「実験室の試み」によって自伝の波を引き起こせるとは思っていなかっただろう。ポプキンとアウレルが試みたように、その目録を作成などしなくても、その類型学を素描し、主たる四つのカテゴリーを区別することはできたであろう。第一のカテゴリーに含まれるのは、作者が内的な局面と職業的経験を織り交ぜて、公的および私的な生を語る著作である（ベネディクト・アンダーソン、ザウル・フリートレンダー、ピーター・ゲイ、エリック・J・ホッブズボーム、トニー・ジャット、ウォルター・ラカー、ジョージ・L・モッセ、ポール・ヴェイヌなどである）[☆15]。第二は自己自身の歴史として書かれた自伝――アウレル

☆14 *Ibid.*, p. 112.

☆15 Benedict Anderson, *A Life Beyond Boundaries: A Memoir*, Londres, Verso, 2018; Saul Friedländer, *Where Memory Leads: My Life*, New York, Other Press, 2016; Peter Gay, *My German Question: Growing Up in Nazi Berlin*, New Haven, Yale University Press, 1999; Eric Hobsbawm, *Franc-tireur. Autobiographie*, Paris, Ramsay, 2005; Tony Judt, *The Memory Chalet*, Londres, Penguin Books, 2011; Walter Laqueur, *Best of Times, Worst of Times: Memoirs of a Political Education*, Waltham, Brandeis University Press, 2009; George L. Mosse, *Confronting History: A Memoir*, Madison, University of Wisconsin Press, 2000; Paul Veyne, *Et dans l'éternité je ne m'ennuierai pas. Souvenirs*, Paris, Albin Michel, 2014.

☆16 Jaume Aurell,

はこれを「自我の個人研究的アプローチ」[☆16]と呼んでいるが——を集めたもので、これは綿密に確認された情報源と個人的な記録資料に基づいており、そこでは、内面性と達成した研究成果の呈示が共存し、すべてが豊かな伝記的注釈資料に支えられている（アニー・クリージェルとピエール・ヴィダル゠ナケ[☆17]）。ピエール・ヴィダル゠ナケの回想録は彼自身の思い出に加えて、父の手紙と日記に基づいており、その方法を描いている。彼が第一巻の序文で明言しているように、これは、「歴史と記憶の本であり、私が同時にその作者であり、対象となる本である」[☆18]。

第三のカテゴリーには知的な軌道を軸にした自伝が含まれており、これはいくつかの方法論的選択を記述し、歴史記述自体に影響を及ぼした変化に自省的なアプローチを展開している（ジョルジュ・デュビ、ジョフ・エレイ（英）、シェイラ・フィッツパトリック（米）、トゥリオ・ハルパーリン・ドンギ（アルゼンチン）、ラウル・ヒルバーグ、ドミニック・ラカプラ（米）、エマニュエル・ル・ロワ・ラデュリ、ジェラール・ノワリエル、ジーブ・スタンヘル（イスラエル）などである[☆19]）。この自伝は知的なフレスコ画の形をとり、歴史家としての使命の誕生を描くか、または外界の流行にもアカデミックな順応主義にも影響されない、まったくユニークな歩みを物語る（ヒルバーグ）。このカテゴリーはカール・E・ショースキーが「職業的自画像」[☆20]と呼ぶ特殊なジャンルを形づくり、ジョフ・エレイが指摘するように、これは全面的な自己指向（準拠）性の暗礁を避けるものである[☆21]。

Theoretical Perspectives on Historians' Autobiographies: From Documentation to Intervention, Londres, Routledge, 2015, p. 131-169.

☆17　Annie Kriegel, *Ce que j'ai cru comprendre*, Paris, Robert Laffont, 1991; Pierre Vidal-Naquet, *Mémoires*, t. 1, *La brisure et l'attente (1930-1955)*, t. 2, *Le trouble et la lumière (1955-1998)*, Paris, Seuil, coll. « Points essais », 2007.

☆18　Vidal-Naquet, *Mémoires*, t. 1, *op. cit.*, p. 12.

☆19　Duby, *L'histoire continue*, *op. cit.*; Geoff Eley, *A Crooked Line: From Cultural History to the History of Society*, Ann Arbor, University of Michigan Press, 2005; Sheila Fitzpatrick, « Revisionism in Soviet History », *History and Theory*, vol. 46, nº4, 2007, p. 77-91; Tulio Halperin Donghi, *Testimonio de un observador*

最後に、第四のカテゴリーは、戦争やジェノサイド、革命のような集団的生活にも個人的生活にも深い刻印を残したものの創始となる歴史的経験に根ざした自伝から成る。それは作者が以下のようなことに関与したことによって生まれた生の物語の場合である。例えば、第二次世界大戦（ポール・ファッセル、リチャード・パイプス、フリッツ・スターン）[☆22]、ホロコースト（フリートレンダーの最初の自画像）[☆23]、一九六〇年と一九七〇年代の革命（アンナ・ブラヴォ、ジョヴァンニ・デ・ルナ、ルイーザ・パッセリーニ（以上、伊）、シェイラ・ロウボサム（英）、バンジャマン・ストラ）[☆24]。いくつかのテクストは分類不能で、例えば、キャロリン・スティードマンの『よき女性のための風景』（一九八六年）は今日広まった傾向を数十年前に予測し、同じ伝記的、自伝的な物語において、彼女自身と母の歴史を織り成して、時代の情景描写に一人称の記述を導入し、イギリスの社会史の方法にしたがって、一九五〇年と一九六〇年代のロンドン南部の民衆階級を描いている[☆25]。

しかしながら、大部分の場合、こうした自伝は、三人称の語りの規範を注意深く遵守する大学のコーパスの埒外で書かれている。要するにそれは、多かれ少なかれそのようなものとして許された「侵犯」だったのである。もし文学と哲学との比較をしてみるならば、こうした個人的な物語は作者の歩みにおいて、孤立した特異な位置を占めていると言えるだろう。例えば、シモーヌ・ド・ボーヴォワールの『娘時代——ある女の回想』（一九五八年）、サルトルの『言葉』

participante. Medio siglo de estudios latinoamericanos en un mundo cambiante, Buenos Aires, Prometeo Libros, 2014; Raul Hilberg, *La politique de la mémoire*, Paris, Gallimard, coll. « Arcades », 1996; Dominick LaCapra, « Tropisms of Intellectual History », *Rethinking History*, vol. 8, n°4, 2004, p. 499-529; Emmanuel Le Roy Ladurie, *Une vie avec l'histoire. Mémoires*, Paris, Tallandier, 2014; Gérard Noiriel, *Penser avec, penser contre. Itinéraire d'un historien*, Paris, Belin, 2014; Zeev Sternhell, *Histoire et Lumières. Changer le monde par la raison, entretiens avec Nicolas Weill*, Paris, Albin Michel, 2014.

☆20 Carl E. Schorske, « The Author: Encountering History », dans *Thinking With History: Explorations in the Passage to Modernism*, Princeton, Princeton

（一九六三年）、新しくはジョルジョ・アガンベンの『書斎の自画像』（二〇一七年）などが幾分そうである。☆26

女性の自伝的記述に関する多くの研究が存在するとしても、☆27一人称単数でする表現を選択した女性歴史家（アンナ・ブラヴォ、ルイーザ・パッセリーニ、シェイラ・ロウボサム）の数は、依然として少ない。彼女たちが肉体の問題に与えた基本的な位置がその作品の中心点にある。一九六〇年と一九七〇年代の運動――彼女たちの多くにとって創始となる経験――は集団的行動の発見の場であり、そこでユートピア的想像空間と支配形態への批判を超えて、性的解放が理論化され、実践された。ジェンダーの社会的形成は、より個人的で内的ないくつかの実存的転換点同様に、肉体に組み込まれる。キャロリン・スティードマンの生の物語――彼女とその母のそれを語っている――は、なかんずく彼女自身の生物学的母性の拒絶を説明している。ルイーザ・パッセリーニはいくつかの情動が肉体面に表われることを数例示している。父親の死にさいして、彼女は罪悪感――よき娘ではなかったという不安――に捉われて、「深淵」の縁に追い込まれた。「私は胃と腹部のあいだの筋束が立って収縮するのを感じた。痙攣、動揺、嗚咽☆28」。年齢とともに、彼女はまた母との類似にも気づいた。「毎日、私は母の新しい一面を発見した。そのほっそりとしているが強い腰、私を産んでくれた、私の信頼する頑健な骨盤を覚えている。私は母に愛されていたと感じるし、愛されているという安心感を思い出す☆29」。

University Press, 1998, p. 17-34.

☆21 Eley, *A Crooked Line*, *op. cit.*, p. x.

☆22 Paul Fussell, *Doing Battle: The Making of a Skeptic*, New York, Little, Brown and Company, 1998; Richard Pipes, *Vixi: Memoirs of a Non-Belonger*, New Haven, Yale University Press, 2006; Fritz Stern, *Five Germanys I have Known: A History and Memoir*, New York, Farrar, Straus and Giroux, 2007.

☆23 Saul Friedländer, *Quand vient le souvenir...*, Paris, Seuil, coll. « Points », 1978.

☆24 Anna Bravo, *A colpi di cuore. Storie del sessantotto*, Rome, Laterza, 2008; Giovanni De Luna, *Le ragioni di un decennio (1969-1979). Militanza, violenza, sconfitta, memoria*, Milan, Feltrinelli, 2009; Luisa Passerini, *Autoritratto di*

彼女は「自らが裡に秘める母の内なるイメージに語りかけること」☆30ができると思っている。ジョーン・W・スコットとともに、「女性」という概念自体が文化的な構築物であることを想起しながら、パッセリーニは女性の肉体を運命の印しとはしない。彼女はむしろそこに、生物学的なものと文化的なもの、生の物質的次元と象徴的次元とのあいだの一種の境界面、その相互作用の場を見ている。この肉体の経験は共有されているので、それはフェミニストが「私」と言うさいに感じるある一定のためらいを説明することになるが、この代名詞は、ジョーン・W・スコットの場合のように、往々にして「複数の歴史的エゴ」に置き換えられて、〔パッセリーニの場合〕「私たち」があるときは歴史家とフェミニスト、あるときは女性を指しているのである☆31。

もちろん、前記の類型学は網羅的なものではない。とりわけ、その選択的な性格は私の言語学的知識と専門領域が限られていることからきているが、しかしきわめて著名な人物を紹介し、やはり有意義な例となっている。こうした歴史家の自伝の「地政学的」次元は興味のないものではない。その大半が英米世界からきており、より狭い範囲内でフランスからのものもある。そのなかには、かなり多くのユダヤ人作者が見出せるが、それは破壊された生、あまり凡庸でない歩みを有するグループであり、埋もれた世界の遺産を救いたいという強烈な意志を物語っ

gruppo, Florence, Giunti, coll. « Astrea pocket », 2008 [1988]; Benjamin Stora, *La dernière génération d'Octobre*, Paris, Stock, coll. « Un ordre d'idées », 2003. Joseph Maslen, « Autobiographies of a Generation? Carolyn Steedman, Luisa Passerini and the Memory of 1968 », *Memory Studies*, vol. 6, n°1, 2013, p. 23-36 と Sheila Rowbotham, *Promise of a Dream: Remembering the Sixties*, Londres, Verso, 2019. を見よ。

☆25 Carolyn Steedman, *Landscape for a Good Woman: A Story of Two Lives*, Londres, Virago, 1986.

☆26 Simone de Beauvoir, *Mémoires d'une jeune fille rangée*, Paris, Gallimard, coll. « Folio », 2008; Jean-Paul Sartre, *Les mots*, Paris, Gallimard, coll. « Folio », 1972; Giorgio Agamben, *Autoritratto nello studio*, Rome, Nottetempo, coll.

ている。他方で、これらの生の物語は二〇世紀初頭の西欧文化の典型的な特徴を浮かび上がらせる。つまり、自伝的物語が知的な歩みの説明を目指し、その実存的次元を歴史的文脈、とくに両大戦間期のそれに刻み込もうとするとき、それに正当性を与えると思われるのは作者の「犠牲者」（その近親者）としての地位である。

かなり多くの亡命者の回想録と比べて、ファシスト体制を現場で経験した研究者の自伝がごくわずかであることは驚きである。ユダヤ系ドイツ人亡命者の自伝は（旧）西ドイツ連邦共和国の同僚のものをはるかに上回っているが、それでも後者は比較にならないほどの一群を成している。フリードリヒ・マイネッケが回想録を一種のアカデミックな「ビルドゥングスロマーン」として書いていた時代は終わったのである[☆32]。今日では、ドイツ人歴史家の自伝は（ニコラウス・ゾンバルトのもののように）例外であるか[☆33]、またはドイツ民主共和国の生残りたちの別種の虐待人生を証言している（例えば、ユルゲン・クチンスキーとハンス・マイヤーだが、彼らもまたユダヤ人亡命者である）[☆34]。イタリアとスペインには、ファシズムから逃げざるをえなかった者を含めて、歴史家の自伝はほとんど存在しない（サルヴェミーニは例外である）[☆35]。以下のことはとても残念なことである。というのは、デリオ・カンティモリのファシズムから共産主義への移行、アルナルド・モミリアーノの追放と反ファシズムの選択、ホアン＝ホセ・カレーラスの国外追放、フランコのスペインにおけるジョゼップ・フォンターナのようなマルク

« Luce Mediterranea », 2017.

☆27　なかでも Sidonie Smith et Julia Watson (dir.), *Women, Autobiography, Theory: A Reader*, Madison, University of Wisconsin Press, 1998. を見よ。より社会学的なアプローチとしては Liz Stanley, *The Auto/Biographical I: The Theory and Practice of Feminist Auto/Biography*, Manchester, Manchester University Press, 1995. を見よ。

☆28　Passerini, *Autoritratto di gruppo*, *op. cit.*, p. 150.

☆29　*Ibid.*, p. 164.

☆30　*Ibid.*, p. 165. この点については Derek Duncan, « Corporeal Histories: The Autobiographical Bodies of Luisa Passerini », *The Modern Language Review*, vol. 93, n°2, 1998, p. 370-383. を見よ。

☆31　「複数の歴史的自我」の概念は、ルイーザ・パッセリーニによって、ジョーン・スコット著『フェミニ

ス主義歴史家の形成などは、おそらく魅力的な物語をもたらしただろうから。☆36

こうした「侵犯」が歴史家の歩みにおいてはまだ特殊な局面であるのに対して、主観的次元の認識は、歴史研究においては、歴史家が彼ら自身の一部を著作に注入するため、暗黙の了解としてあり、二〇年ばかり前からは頻繁に見られることである。この侵犯認知は、昔はタブー違反や罪の告白のようにほとんど猥雑なことのように思われていたが、次第にひとつの知的誠実さとして受け入れられるようになってきた。例えば、『二〇世紀の歴史——極端の時代』（一九九四年）の冒頭で、エリック・ホッブズボームは二〇世紀を成人として生きたことを回想して、こう書いている。「私の個人的な生は本書が扱う時期の大部分と一致しており、また青少年時代から現在まで、私は公的な問題に注意を払っていた。換言すれば、私は現代人としても研究者としても、それに関する見解や先入観を積み重ねてきた」。そしてこう詳述している。彼の「時代」は一九世紀であり、それゆえ結局は彼の本は研究分野の選択に対する歪曲／違反である。要するに、読者は彼が本を「参加する観客」としても歴史家としても書いたことを知らねばならない。「この尋常ならざる世紀を生きた者はこれをどう判断するか、という問いを控えるわけにはいかないだろう。困難になるのは理解することである」。☆37

『幻想の過去』の序文において、フランソワ・フュレの方は、その本のテーマへの「伝記的関与」を認めている。「それゆえ、今日私が理解しようとする問題は私の存在と不可分である」

ストの歴史の幻想』への書評において示唆されている。*The Fantasy of Feminist History* [2011] de Joan W. Scott, *Gender & History*, vol. 25, n°2, 2013, p. 388-389.

☆32 Jeremy D. Popkin, *History, Historians, and Autobiography*, Chicago, University of Chicago Press, 2005, p. 122.

☆33 Nicolaus Sombart, *Chronique d'une jeunesse berlinoise*, Paris, Quai Voltaire, 1992.

☆34 Jürgen Kuczynski, *Memoiren: Die Erziehung des J. K. zum Kommunisten und Wissenschaftler*, Berlin, Aufbau, 1981 [1972] ; Hans Mayer, *La tour de Babel. Souvenirs d'une République democratique allemande*, Paris, Presses universitaires de France, coll. « Connaissance de l'Est », 1993. 前年のものとしては、ゼバスティアン・ハフナーの回想録『あるドイツ人の歴史。思い出

と書いて、「幻想」を強く体験したと明言し、その流れを描いて分析している。[☆38] 共産党と断絶して四〇年後、彼は「当時の不寛容だったが、険悪さはない盲目的な態度」をそう振り返っている。不寛容だというのは、彼が目ざしたのはただ弁明することだけだからであり――彼の本はソ連崩壊後の広範な反共キャンペーンのフェルマータ（結節点）となる――、また険悪さがないというのは、彼は青年時代のこの「不幸な参加」から教訓を引き出すことができたからである。

軍事的事実の研究に文化史を導入した作品である『大戦と近代の記憶』（一九七五年）の作者ポール・ファッセルは、第二次世界大戦中、フランス南部で負傷したアメリカ兵としての彼自身の経験によって、彼がどの程度近代戦争の肉体的次元を研究できるようになったのかを指摘している。[☆39] オメル・バルトフには、一九四一―一九四五年間、東部戦線に動員されたドイツ兵に関する基本的な著作があるが、彼もまた研究テーマとの「感情移入的な」絆を織り成している。彼は『ヒトラーの軍隊――国防軍、ナチスと第三帝国の戦争』（一九九九年）の序文において、こう書いている。「［イスラエル軍における私の経験］は歴史家としての私の観点に、間接的ではあるが、実質的なインパクトをもたらした。国防軍について書いていると、私は自分自身が体験したところに送り返されるような気がした」[☆40]。それは、たとえ彼がドイツ軍人の戦争の合目的性と一体化することは、もちろんできないにしても、彼らの精神的世界を理解する助けにな

一九一四―一九三三年』、Actes Sud, coll. « Babel », 2004 が付け加えられるかもしれない。

☆35 Gaetano Salvemini, *Dai ricordi di un fuoruscito: 1922-1933*, Turin, Bollati Boringhieri, coll. « Gli archi », 2002 [1960]. スペインでは、ハウメ・アウレリが最近一五の歴史家の自伝を集めたが、同時代人の唯一のテクストがアイルランドの歴史家メアリー・ナッシュであると指摘しているのは興味深い。Jaume Aurell (dir.), *La historia de España en primera persona. Autobiografías de historiadores hispanistas*, Barcelona, Editorial Base, coll. « Base Hispánica », 2012. を見よ。

☆36 Giovanni Miccoli, *Delio Cantimori. La ricerca di una nuova critica storiografica*, Turin, Einaudi, coll. « Piccola Biblioteca », 1970; Carlos Forcadell « Semblanza biográfica de Juan José

ったのである。

彼らの著作に主観性が内在するという事実を基にして、何人かの歴史家はこの主観性を、彼らの方法論的装置の、必然的なとは言わないが、正当な次元として組み込もうとした。この試みには、精神分析の影響の跡が容易に読み取れるが、これは歴史家に過去へのアプローチにおいて起こる「転移」の契機を自覚させるのである。『ナチ・ドイツとユダヤ人』（二〇〇七年）第二巻の序文において、ザウル・フリートレンダーはナチズムの歴史化は犠牲者の記憶に席を割かねばならないと指摘しているが、それは歴史家自身の主観性の介在を要求する。だが調査を行ないながら、歴史家には自らを対象と隔てる「保護の楯」をつくる傾向があり、そうして歴史認識の前提そのものである距離（壁）を打ち立てるのである。

しかしながら、この保護膜が突然なんらかの情報源の発見によって引き裂かれることがあり――情報源とは、きわめて平凡なものを含めて、書類、手紙、写真類、どんな物でもよいが――、これが強烈な情動を呼び覚まし、彼らに強い感情移入的な同一化をもたらして、彼らの整然とした仕事場に混乱を引き起こすのである。この種の「転移」は二〇世紀を研究する歴史家にとっては、認識論的な障碍でもありメリットでもある。彼らがそれを制御し、超克することに成功すれば、この情緒的な不安は実りあることが明らかになるが、それはとくに過去を物化し、「凝結させる」傾向にある行政上の記録資料に登録された経験的事実によって研究する

Carreras Ares », dans Juan José Careras Ares, *Lecciones sobre Historia*, Saragosse, Institución Fernando el Católico, coll. « Historia Global », 2016, p. 19-36; Pedro Ruiz Torres, « Josép Fontana en su tiempo », *Ayer*, vol. 116, n°4, 2019, p. 307-323. を見よ。

☆37 Eric J. Hobsbawm, *L'âge des extrêmes. Le court XXe siècle*, Bruxelles/Paris, Complexe/Le Monde diplomatique, 1999, p. 24.

☆38 François Furet, *Le passé d'une illusion. Essai sur l'idée communiste au XXe siècle*, Paris, Le livre de poche, 2003, p. 16.

☆39 Fussell, *Doing Battle*, *op. cit*; 同じ著者の *The Great War and Modern Memory*, New York, Oxford University Press, 2013 [1975].

☆40 Omer Bartov, *Hitler's Army: Soldiers, Nazis, and War in the Third Reich*, New

場合にそうである。
フリートレンダーによると、「個人的な声」の出現は解釈の切れ目のない織り目を引き裂き」、研究者の「超然とした中立的態度と〝客観性〟」を再検討させるかもしれない。そしてこう推定している。この物語の直線性を危機にさらす「攪乱要因」は、「国内的で、必然的に〝平板な通常の歴史記述〟とは別の大量絶滅や連続した集団的苦悩の歴史的表現には、きわめて重要なもの☆41」になり得る。精神分析学用語を多用しながら、フリートレンダーは距離化と感情移入的な自己同一化のバランスの探究を「徹底操作」（フロイトのDurcharbeitung=perlavorazion=working through）★1プロセスとして定義づけているが☆42、これは、情動の爆発的な高まりが冷静かつ緩和的な物化として、また記憶のフェティシズムが直線的物語の率直さとして立ち至る——矛盾しているが、収斂する——袋小路を避けさせるものである。

現代の歴史記述における語り手の「私」の出現は、いくつかの点で、方法論的な問いへの答えと見なされるかもしれない。それは、ホッブズボームやフュレ、フリートレンダーと違って、研究対象の時代を経験していないので、それと距離を置く努力をいっさいすることのない世代によってもたらされた答えである。彼らが過去の叙述に投入する主観性の役割は解釈の一様式になる。それはもはや体験と認識の対決に、ましてや被ったトラウマの徹底操作に依存しないのである。

York, Oxford University Press, 1992, p. viii.

☆41 Saul Friedländer, *Les années d'extermination. L'Allemagne nazie et les Juifs (1939-1945)*, Paris, Seuil, coll. « L'univers historique », 2008, p. 28.

★1 この語の本来の意味は徹底的に推敲、考究すること。ここではフロイトが考案した抵抗の除去や転移の分析のための技法を指す用語だという。

☆42 Saul Friedländer, « Trauma, Transference, and "Working Through" in Writing the History of the Shoah », *History and Memory*, vol. 4, n°1, printemps-été 1992, p. 39-59.

しかし、歴史家が制御して、その研究に実り豊かに組み込む一段階ではなく、フリートレンダーが言及した「転移」が過去の記述の原型そのものになったらどうなるのか？　もし彼がこの内なる動揺を調査と語りの原動力としたらどうなるのか？　この近年一〇年間、われわれは新しいジャンルの歴史的な語りの誕生を見てきたが、これは、語の通例の意味で自伝的ではなく、歴史家と調査対象の全面的な共生を意味する。その特権的な場所はやはりフランスだが、こうした歴史家は、たとえまだその広がりを容易に測れなくても、いち早く他の国にも姿を見せる。この新しい物語は主として語り手の親世代の遺したものに基づくが、家族史の形をとって全体としての社会の歴史を解明しようとする。作者は物語の主役のひとりである。ここでは、よく知られたもののなかから、いくつかの例を挙げてみよう。

国際的に有名な国家の社会学者で「国家ユダヤ人」〔共和主義的価値観に同意し公職に就く、同化したユダヤ人〕とフランスの反ユダヤ主義の歴史家であるピエール・ビルンボーム〔一九四〇—、ユダヤ系ドイツ人としてはビルンバウムか〕は、多くの著作で、子供時代の秘められた過去にはけっして言及しなかった。一九四〇年七月、敗北と避難の数週間後、一九三三年には、フランスに移住していたユダヤ人を両親として、ルルド〔仏南西部、カトリックの巡礼地〕で生まれた彼は、戦争中、ルルド近くのオート・ピレネー県の村オメックスの農民家庭に匿われて生き延びた。長らく彼は、この過去とは、研究者の仕事と重なり合うべきではないと考えて、距離を置いていた。一九九〇年代、彼が、ショア時代の匿われた子供たちの証言を収集していたエール大学教授デバラ・ドゥワークのインタビューを受け入れたのは、エルサレム大学の親しい友人に懇請されたからにすぎなかった。それまでは、と彼はこう書いている。彼は、「我らが師のエミール・デュルケームが言うように、あらゆる予備知識や価値観、あらゆる形の主観性を注意深く退けるべき研究者の立場を離れて、歴史の対象として発言することに[☆1]」、ある種の嫌悪感を抱いていた。彼が彼自身の歴史家になる決意をしたのは、ずっとあとの二〇一八年でしかなかった。それも、彼はその生の「文学的な物語」をしたくなかったので「証人」ではなく、彼自身の過去の厳密な研究者、分析家として、である。[☆2]そこから彼の本の副題『個人史』と、ユダヤ人狩り、より正確には彼自身の一家の一斉検挙に関する詳細な記録資料史——オート・ピレネー県古文書館で収集されたもの——が生まれ、本の骨格を成すのである。

この本は、彼を救った二人の農民マリーとファビアンに対する感謝と愛情に溢れており、そのために彼らには義人（Justes）という地位が死後に与えられるが、また戦争中のユダヤ人家庭の

☆1　Pierre Birnbaum, *La leçon de Vichy. Une histoire personnelle*, Paris, Seuil, 2019, p. 70.
☆2　*Ibid*., p. 71.

迫害の歴史としても呈示されている。実を言うと、この物語はとくに作品の第一部で展開され、あとで歴史的自己分析論に変わり、そこでピエール・ビルンボームはヴィシーの反ユダヤ主義に対するその自覚を段階的に描いている。共和主義的信条にこり固まり、祖国にすべてを捧げた国家ユダヤ人の長い伝統に組み込まれた彼は、長らく国家的反ユダヤ主義否認のなかで生きてきた。[☆3] 一九八一年、彼は、マイケル・マラスとロバート・パクストンが、一九四〇年一〇月、ヴィシー政府が発布したユダヤ人の地位に関する法律のまったくフランス的な性格を暴き、分析した本を読もうとしなかった。その後は、徐々に彼は明白な事実に屈せざるをえなくなった。[☆4] だがそれでも、国家に捧げた信仰の念を問題にしなかったが――「結局ユダヤ人を裏切ったのは国家ではなく」、盲従的な高級官僚に体現された「正当ではないが合法的な事実上の権力なのだ」――、しかし彼はヴィシーがこの同じ国家の「病気の時期」[☆5]だったことを認めねばならなかった。ドイツによる占領下、フランス国家はユダヤ人を迫害していた。とりわけ、彼らを聖職者やプロテスタントとともに救ったのは、後進的と見なされていた農村フランスの代表たる農民たちであった。この共和主義的信条の問題化は彼の歴史家としてのキャリアに大きな方法論的変化をもたらし、のちになって、研究者として一人称で書くことになったのである。

ビルンボームの『ヴィシーの教訓』〔大嶋厚訳、吉田書店〕は長い主観的歴史書のリストの最も新しいものにすぎない。『フランスの構成』（二〇〇九年）において、有名なフランス革命史家モナ・

☆3　とくにPierre Birnbaum, *Un mythe politique. La « République juive » de Léon Blum à Pierre Mendès France*, Paris, Fayard, 1988と同じ著者の*Les fous de la République. Histoire politique des Juifs d'État de Gambetta a Vichy*, Paris, Fayard, 1992. を見よ。

☆4　Birnbaum, *La leçon de Vichy, op. cit.*, p. 110. Voir Michael R. Marrus et Robert 0. Paxton, *Vichy et les Juifs*, Paris, Le livre de poche, 2018 [1981]. を見よ。

☆5　Birnbaum, *La leçon de Vichy, op. cit.*, p. 228.

オズーフはその家族のほとんど排他的なまでにブルターニュ的なアイデンティティと、学校で受けた普遍主義的かつ共和主義的国民教育とカトリック教会の保守主義とに分かたれた子供時代を描いている。つまり、この近代フランスの三本柱が彼女の生に深い影響を与え、その個性を形づくったのである。このさまざまな要素間の緊張関係は強く、ときには激しかったが、彼女はそれをコントロールできたという。

ブルターニュでは祖母名義の家で暮らしていたが、フランスのことを話し教えてくれたのは祖母だった。学校で教えられたフランスは、わが家が、頑固なまでに統一的で中央集権的な世襲の敵としていたものだが、しかしそれはまた、整然とした系統的教育システムで、正義と民主主義への道を歩んだ国でもあり、その点において経験に基づく伝統的な祖国というよりも合理的な祖国であり、この後者に、わが家はブルターニュ信仰を裏切ることなく賛同していたのである。☆6

彼女の一人称の語りは屈折的な性格を帯び、その個人的なキャリアを越えて、より幅広く国家的な歴史解釈の要となる。

『ジャンヌとその家族』(二〇〇三年)において、第三共和国と知識人の歴史家ミシェル・ヴィノ

☆6 Mona Ozouf, *Composition française. Retour sur une enfance bretonne*, Paris, Gallimard, coll. « Blanche », 2009, p. 148.

ックの方も家族史を描いている。[☆7]〔パリ生まれの〕彼もまたノール県の古文書類を参照しながら書いているが、この県から来ている彼の父、鉄道員のガストンの家族はフラマン出身であり、また母ジャンヌはパリ地方出身で、アルクイユ〔パリの東隣りのヴァル・ド・マルヌ県〕で食料品店を経営していた。父が戦争末期に死去すると、ジャンヌが兄たちとは別に〔父親代わりに〕優位な立場を占めていたが、兄マルセルは解放時に結核で死に、ピエールが若いミシェルの勉強を助けた。もう一度言うが、愛情に満ちた肖像画のモザイク模様というよりも、それはこの家族の運命に含まれるフランス史の一断片であり、民衆階級と文化、宗教、政治との関係が例証されている。

ステファーヌ・オドワン゠ルゾの『どんな歴史か——ある家系の物語』(二〇一三年)はもうひとつの家族物語で、これは第一次世界大戦から始まって、作者に戦争研究の歴史家としての使命感が生まれたことで終わっている。言うなれば、生まれ故郷への回帰物語である。彼の祖父母の三人は動員されて、祖父たちは塹壕から帰還した。父方の祖父はその「最良の年月」を前線に捧げた民族主義者で、そのため息子フィリップにラディカルな反軍国主義が生まれ、作者の父である彼は革命家でシュルレアリスト集団のメンバーだった。だからステファーヌは歴史家としての使命感を、父親の急進左翼への参加と祖父たちへの忠誠に対する、一種の「微妙な裏切り」として引き受けることになる。彼はこの家族の歩みを、その「研究プロトコル(方式)」を家族の有為転変の生に適用して行なった調査によって描いている。たんなる伝記を越

☆7　Michel Winock, *Jeanne et les siens*, Paris, Seuil, coll. « Fiction et Cie », 2003.

えて、彼の本は「歴史分野[☆8]」に根を下ろした調査探究であろうとする。

さまざま時期に書かれた思い出に満ちたテクスト集である『書棚の亡霊』において、モーリス・オランデールは、「もう存在しないことが際限なく語られる口承の世界から」生まれた彼のような子供、読み書きするどんな訓練も頑なに拒んで父親をひどく落胆させた子供が、いかにして有名な学者、比較言語宗教学の歴史家になったのかを語っている。蓄積した古文書の山の多様な活力を自覚して――忘却願望を含めてだが、ときには「なによりも深い眠りへの権利を得るために保存しておく」ために[☆9]――、彼は、パリとブリュッセル間を定期的に移動する電車の切符まですべてを保存することに人生を過ごしたのである。彼の本はその実存的道程と歴史家としての選択を結ぶ内なる絆を例証している。

しかしながら、この新しい家族史の形の最も意味深い例は、イヴァン・ジャブロンカの『私にはいなかった祖父母の歴史』（二〇一二年）〔田所光男訳、名古屋大学出版会〕で、これはこの近年フランスで出版された歴史書でかつてなかったほど売れたもののひとつで、詳しく言うと、彼の次以下の作品同様、オランデールが監修するスイユの「二〇世紀文庫」叢書で出版されている。題名にある通り、これは、フランスに移住したあと、アウシュヴィッツに強制収容され、殺害された二人のユダヤ人、彼の祖父母マテスとイデサ・ヤブウォンカの生涯に関する調査である。この本はこう始まっている。「私は、歴史家として、私にはいなかった祖父母の足跡をたどって

☆8　Stéphane Audoin-Rouzeau, *Quelle histoire. Un récit de filiation 1914-2014*, Paris, EHESS/Gallimard/Seuil, coll. « Hautes études », 2013, p. 13 et 140.

☆9　Maurice Olender, *Un fantôme dans la bibliothèque*, Paris, Seuil, coll. « La librairie du XXIe siècle », 2017, p. 63.

出発した。彼らの生涯は私のものが始まるずっと前に終わっている。つまり、マテスとイデサ・ジャブロンカ〔ポーランド語名ヤブゥオンカ〕は私の近親者でもあり、またまったくの他人でもある。彼らは有名人ではない。二〇世紀の悲劇に運び去られたのだ。スターリニズム、第二次世界大戦、ヨーロッパ・ユダヤ人の絶滅に、である」☆10。

それゆえジャブロンカは、冒頭で強調するように、「歴史家として」本を書き、歴史研究の手段と方法論を駆使して祖父母の生を見事に再構成したのである。フランスでもアメリカでも、彼の本は歴史叢書として出版された。ただし、それをたんに歴史的著作とだけ形容するのはきわめて単純化することになろう。なぜなら、その歴史的描写には作者の愛情と、語の本義における義務感や愛、優しさ（pietas）がしみ込んでいるからである。すなわち、両親（或いは祖父母）に対する義務を果たすことに通じる敬愛の念である。「あなた方は死ぬとき確信してもいい、ぼくが生涯ずっと哀しみをこめてあなた方のことを考えていることを。次にぼくの生涯が終わるときには同じく、ぼくの子供たちがあなた方のことを知るだろう。ぼくが墓の中にいるときには、同じく彼らの子供たちがあなた方のことを知るだろう。ぼくとしては、あなた方がぼくの神、崇拝される神になって、ぼくを、ぼくだけを見守ってほしい。ぼくはこう考える。ぼくの神がぼくを保護してくれるのだから、ぼくは地獄か天国にじっとしていられるのだ、と」☆11。この抒情的な文体は、ジャブロンカが子供だったときに祖父母に書いた手紙のもの

☆10 Ivan Jablonka, *Histoire des grands-parents que je n'ai pas eus*, Paris, Seuil, coll. « Points », 2013 [2012], p. 9.

☆11 *Ibid.*

である。彼はそれを本の前置きにしたが、それは歴史家の文章においては普通のことではない。

ジャブロンカは同じ方法を他の二つの調査にも使った。ひとつ目の『レティシア』（二〇一六年〔邦訳名『歴史家と少女殺人事件――レティシアの物語』真野倫平訳、名古屋大学出版会〕）は多数の読者の心をかき乱し、動揺させた。[☆12] 彼が検討しているのは、世間の噂の的になって、大きな衝撃を引き起こし、大統領ニコラ・サルコジが政治目的のため道具に使って国事問題にまでなった三面記事である。本のなかで、歴史家は殺人事件を再構成し、犠牲者の一八歳の若い娘の生を語っているが、彼女は、アルコール中毒の父親の暴力を受けて、双子の姉ジェシカとともに受入れ支援家庭に預けられ、いわば里子に出された。ナント郊外のポルニックのレストランのウェイトレスである彼女は、二〇一一年、彼女を誘惑した襲撃犯トニー・メロンに殺された。作者が「犯罪調査」また同時に「生の調査」[☆13] として呈示するこの物語には、二つの目標があった。一方では、都市周辺地帯で行なわれた卑劣な犯罪が現代社会の荒廃、見捨てられた貧しい環境において過ごす子供時代や青春時代の状況を暴露していることを示すことである。他方では、若い娘の肖像を復元し、その困難な状況や経験、その夢や希望を描き、匿名性から彼女を引き出してその生を返してやることである。ジャブロンカは、「私は三面記事が歴史の対象として分析できることを証明したい。三面記事はけっしてたんなる〝事件〟ではなく、またそれになにも〝三面的な

☆12 Ivan Jablonka, *Laëtitia. Ou la fin des hommes*, Paris, Seuil, coll. « La librairie du XXIe siècle », 2016.
☆13 *Ibid.*, p. 72.

(雑多な)〃ものではない」[14]、と書いている。

二つ目の本は『キャンピングカーで』(二〇一八年)という、彼の子供時代のヴァカンスのはるかに軽い語りで、これもまた家族の記憶の跡を辿って、一九八〇年代の中流階級の夏季休暇を描いている。もう一度言うが、一人称で書かれた家族日誌と一般的な歴史が交差して、不可分までになるのである。つまり、「子供時代の歴史家である私は、歴史家として私の子供時代を想起したかった。社会科学の作家である私は、これ〔社会科学〕を私の方に向けたり、また私と反対の方に向けたりして、これで自己を呈示したかったのである」[15]。

フィリップ・アルティエール〔一九六八―〕の研究の中心には、歴史の当事者たち――舞台の前面で活動し、同時代人からライトが当てられている者ではなく、匿名の者、日常生活から置き去りにされた者や忘れられた者、要するに社会生活の埒外に置かれた者――の主観性があるが、彼はこの二〇年間で最も創造的かつ独創的な歴史家のひとりである。フーコーの跡に従って、彼は烙印を押され、断罪された「罪ある者の生活」、多数の殺人犯、親殺し、娼婦、泥棒、ならず者などの生を調査検討し、一九世紀末から、彼らが追いやられている犯罪人類学の支配下から引き出すのである[16]。当時の医学・社会科学的見地から精神病を解釈し、犯罪の秘密を洞察しようとするアプローチの流れに逆らって、アルティエールは彼らの暴力的でねじ曲がった生とともに「歩み」、われわれにその声を聴かせるため「同伴する」ことにした。その結果、

☆14 *Ibid.*, p. 8.

☆15 Ivan Jablonka, *En camping-car*, Paris, Seuil, coll. « La librairie du XXIe siècle », 2018, p. 153.

☆16 Philippe Artières (dir.), *Le livre des vies coupables. Autobiographies de criminels (1896-1909)*, Paris, Albin Michel, coll. « Bibliothèque de l'évolution de l'humanité », 2014 [2000].

彼らの物語は彼らを生み出した従属の場から解放され、語のフーコー的な意味で「主体化の実践」となり、歴史家がその「渡し守（幇助者）」になったのである。アルティエールが、一九〇一年に世間の耳目を集めた『ヴィダル――女性殺害犯』アンリ・ヴィダルの生を再構成したのは、この同じ方法に従い、ドミニック・カリファの協力を得てであるが、彼は新聞記事や、波瀾に満ちた裁判の多数の関係者（警察官、司法関係者、医者など）が残した証言を基にして殺人犯本人の自伝を構成した。☆17 映画監督が映像を編集するように、古文書類を繋ぎ合わせて組み立てるこのモンタージュ操作によって、アルティエールとカリファは歴史記述の通例の方法を再検討し、生《なま》の資料を基にして過去の新しい物語を創出しようとしたのである。

アルティエールの最近の作品『ポール・ジェニーの生と死』（二〇一三年）と『とどのつまり』（二〇一六年）は二冊とも文学叢書で出版されたが、そこで彼はその歴史記述方式を彼自身とその家族の歴史に関する調査に適用し、自らがその語り手になった。☆18 ポール・ジェニーはイエズス会の神父でグレゴリオ大学の哲学教授であり、彼の曾大叔父でもあったが、一九二五年一〇月ローマで、某兵士に背中を銃剣で刺されて暗殺された。メディチ館★1に一年間滞在したさい、アルティエールはこの犠牲者の肖像をスケッチし、暗殺事件を再構成し、市の古文書館でバンビーノ・マルキとかいう殺人犯の足跡を収集したが、この男は狂人と宣告され、いかなる裁判も受けず、余生を精神病院で送っていた。それゆえ、歴史家を惹きつけたのはポールという先祖

☆17　Philippe Artières et Dominique Kalifa, *Vidal, le tueur de femmes. Une biographie sociale*, Lagrasse, Verdier, 2017 [2001].

☆18　Philippe Artières, *Vie et mort de Paul Gény*, Paris, Seuil, coll. « Fiction & Cie », 2013; 同じ著者の *Au fond*, Paris, Seuil, coll. « Fiction & Cie », 2016.

★1　ローマのフランス・アカデミー。若い知識人や芸術家を滞在・研修させる施設。

よりもはるかに強く、バンビーノの生であり、それは彼がその古文書類、つまり、断片的な文章や写真、新聞記事の切抜きなどを複写するほど強かったのである。

『とどのつまり』において、アルティエールは、彼が生まれる前、兄が三歳で突然死んで家族を悲しみの喪に陥れた苦難の歴史を振り返っているが、それを彼の母は五〇年後になって語り、その喪を終わらせたのである。作者は悲劇の地、モーゼル県の町サンタ゠アヴォルドに赴くが、そこは当時両親が暮らしていたところで、彼が描くことによってはじめて見出した地方である。父はそこで斜陽の鉱山企業で幹部として働いていた。歴史家は鉱夫たちのストライキの書類や、彼らの多くが命を落とした労働事故やその妻たちの闘争ぶりを示す記録資料を手にするが、この妻たちは労働者の権利を主張し、その声を聞かせるためパリに行ったが、ド・ゴールにエリゼ宮で迎えられることはなかったという。

『ポール・ジェニーの生と死』と『とどのつまり』は、本の横糸として収集した古文書類の資料が使われ、印刷上のヴァリエーションを見ても、作者が前にした研究成果として構成されているが、なによりもまず調査物語である。ときには遊戯的でときには苦々しく、ときには感動的でときには心豊かになるが、結局はつねに自己探求とその記述である。前者の本では、作者はいくつかの仮名を使っている。つまり、まず一人称で、メディチ館での滞在と曾大叔父の暗殺に関してローマで行なった調査を描いている。次いで、殺人犯の兄弟の衣を借りて彼に語りかけ、親しく君呼ばわりしてその生を語っている。☆19 結局、本の最終部分では、彼は表舞台に登場し、三人称で研究者として調査を振り返っているが、この研究者はパリ、トリエステ〔イタリア北東部、スロベニアとの国境沿い〕、ロッジョ・エミリア〔イタリア北部〕を行き来してコロックに参加し、自らのフーコー的研究とフランコ・バザーリア〔一九二四—一九八〇〕の反精神医学との親近性を論ずるのである。

その暗殺がこの調査のもととなった祖先ポール・ジェニーは結局、ほとんど口実にすぎないことが明らかになる。アルティエールは、大叔父の同僚のひとりの手紙や記事を含めて、いくつかの古文書類の証拠を挙げて彼に敬意を表している。彼はまた犯行が行なわれた通りのサン・バジリオ街に記念銘板を貼らせ、当時の碑文も付しているが、その美辞麗句はまったくの時代遅れのようだ。イエズス会の大叔父——あらゆる証言によると、「学問としてその使徒として哲学に情熱を燃やしていた」男。「哲学のために、すべてを、つまり、文学や芸術、精神を慰藉するものすべてを捨てた」と自ら言っていた男——の作品は、アルティエールには興味がなかった。☆20 大叔父の本については、彼は認識理論の大著を挙げて、誤りと三段論法に言及し、「全体がきわめて退屈である」と書いているが、それでも大叔父が「この世とは無縁である」☆21 と感じていたことを正直に認めていた。彼はジェニーの著書の題名は一冊も引用も言及もしていない。その代わり、歴史記述の遊戯的で美的な慣行の名において、彼は、サンタ・カテリーナ

☆19 ルイ・テグゼラはエルネスト・ルナン『イエスの生涯』（一八六三年）と、ヨセフ・ハイーム・イェルシャルミ『フロイトのモーゼ——終わりのあるユダヤ教と終わりのないユダヤ教』（一九九三年）にあるこの文体的手法の二つの有名な前例を示している。Luis Teixeira, « À la recherche de Paul Gény », *Écrire l'histoire*, n°s 13-14, 2014, p. 179-182. を見よ。

☆20 Artières, *Vie et mort de Paul Gény*, *op. cit.*, p. 60.

☆21 *Ibid.*, p. 109.

通りの、ローマの聖職者たちの衣服を扱う店バルビコーニで法衣を買って、司祭に化けて町の通りを散歩し始めた。二人の友人と共謀して、彼は暗殺事件の再構成さえしており、その「写真物語」がのちにある作品の対象になるのである。☆22『ラ・ヴィ・デジデ』誌のための対話のさい、彼はこの再構成が「ひとを微笑させるか、またはナルシスト的な行為と見える」☆23ことを認めている。実際、この現地でのパフォーマンスは、ランズマンが『ショア』でインタビューした証人に引き起こそうとした「甦った」経験の記憶とはたいして関係はない。アルティエールは歴史を、研究者と過去の資料との肉体的物質的な関係を前提とする探究の対象と考えているが、彼は背中を銃剣で刺されなかったし、アウシュヴィッツに縞服やＳＳ〔ナチ親衛隊〕の制服を着て行くことなど受け入れないだろう、と思われる。この再体験という遊戯的な欲求には、第一に研究者の実践と芸術家のパフォーマンスを、さらに悪くは観光客の面白半分の好奇心とを混同する危険が含まれている。雑多な叢書で出版された彼の本は混ぜ合わせのジャンルと巧みに戯れるが、それは必ずや、微笑を越えて歴史家にある種の困惑を呼び起こすことだろう。

犠牲者と違って、殺人犯バンビーノ・マルキはより生き生きと微妙なニュアンスで描かれている。第一次世界大戦のトラウマに病む兵士である彼は、司祭から息子が戦死したと思い込まされて自殺した母親の復讐をするために殺人を犯す。それがたぶん、その兄弟の衣をまとっ

☆22 Philippe Artières, *Reconstitution. Jeux d'histoire*, Paris, Manuella, 2013. 記録資料の遊戯的使用はすでに前掲『ヴィダル――女性殺害犯』にある（二〇頁）。アレクサンダー・クックはその原則を否定しないが、彼によると、再現reenactmentの主たる限界のひとつは、「より分析的なアプローチを犠牲にして、過去との無意識的情動的な係り合いを重視する執拗な傾向」にある。Alexander Cook, « The Use and Abuse of Historical Reenactment: Thoughts on Recent Trends in Public History », *Criticism*, vol. 46, n°3, été 2004, p. 490.

☆23 Ivan Jablonka, « Quand l'histoire nous traverse. Entretien avec Philippe Artières », *La Vie des idées*, 7 juin 2014.

て、作者が感情移入して彼を君呼ばわりした理由であろうが、これは曾大叔父に対しては起こらないのである。本の結論として、彼が兄弟に化けた匿名者、つまり、「私が歩み、最後まで行くのを助けてくれた者[☆24]」に言及するのはバンビーノのことを語りながらである。彼が当時、「狂気の歴史はたえず社会的政治的な歴史と交差し続けている」というあり方に関して述べた仮説は興味深く、また彼が、「バンビーノとポールは三面記事ではなく、二〇世紀のひとつの歴史の主役であった[☆25]」と指摘するのは正しい。しかしながら、この仮説はごくわずかにしか表明されていない。この本には、バンビーノの戦争体験にも、彼がおそらく目撃した暴力、ファシズムを生み出した暴力に関するものはなにもないのである。ローラン・ドゥマンズがいみじくも指摘するように、アルティエールが記録資料を「プラスチック材」か「展示品[☆26]」として使用していても、この二冊の本においては、彼はそれを大幅に歴史から脱文脈化した文学的物語の源泉にしており、これは知識を生み出すのではなく、たんに作者を真の主人公とする調査を演出（劇化）することを目指している。その結果は魅力的で文学的なエクリチュールとなっているが、語り手に引き起こす問いと感動の物語を生み出すためにのみ過去を引き合いに出しているのである[☆27]。

自伝的歴史のもうひとつの例はアントワーヌ・ドゥ・ベックの『アルプス横断』（二〇一四年）だ

☆24　Artières, *Vie et mort de Paul Gény, op. cit.*, p. 217.
☆25　*Ibid.*, p. 184.
☆26　Laurent Demanze, *Un nouvel âge de l'enquête*, Paris, José Corti, coll. « Les essais », 2019, p. 145.
☆27　ドミニック・ヴィアールは『ポール・ジェニーの生と死』において以下のように書いている。「テクストが、問いかけの果てしなき目くるめきのなかで、当初は客観的で距離を置こうとした作者を語りの登場人物にするのを覚悟で、語りの主体、さらには作者自身を吸収してしまう」。Dominique Viart, « Incohérences narratives du fait divers », dans Matteo Majorano (dir.), *L'incoerenza creativa nella narrativa francese contemporánea*, Macerata, Quodlibet, coll. « Quodlibet studio », 2016, p. 99-113.

が☆28、今回は一家のサガや行方不明の両親に関する調査、戦争物語とはかけ離れたものなのでいっそう興味深い。フランス革命、肉体、とくに映画の有名な歴史家であるドゥ・ベックは青少年のころから情熱的なハイカー（randonneur=hiker）である。彼の本は学問的な著作であり、また同時に自伝的物語でもある。学問的な著作というのは、これが一九五〇年からレマン湖と地中海を結ぶ道の正式名称であるＧＲ５〔grande randonnée 大型ハイキングコースの略称〕の歴史だからであり、旅行物語であるというのは、これはドゥ・ベックが二〇〇九年九月に一七キロのリュックサックを背負い、サン＝ジャンゴルフ〔レマン湖の南側のスイスと国境をなすオート・サヴォワ県の村〕からニースまで歩いて、自らがいかにしてこの道路を踏査したのかを語っているからである。正直なところ、この二つの並行した語りはおもしろい。

ＧＲ５に関する歴史記述は以下のさまざまなジャンルの歴史と交差する。すなわち、宗教史（中世の巡礼）、経済史（織物の交換と移牧）、政治・軍事史（国境の画定、要塞城築）、ひとの移動史（住民の移動から密輸人の不法取引まで）、環境の歴史（何世紀ものあいだ、いかにして人間が大地に標識を置き、踏破し、耕して形を与え、風景を作り上げたのかを語っている）、肉体の歴史（いかにして山が住んでいる者の肉体を作り上げ、或いは山歩きする者を試練にさらしたか）などである。また観光事業の歴史もあり、これは放棄されそうな山野の小道を蘇らせて、以後フランス、スイス、イタリアの十字路にあるこの地方の主要な経済的源泉を生み出

☆28 Antoine de Baecque, *La traversée des Alpes. Essai d'histoire marchée*, Paris, Gallimard, coll. « Folio histoire », 2018.

している。歴史家とハイカーとのあいだの驚くべき類推――「歴史家は、ハイカーが道沿いの世界を見聞して経験的ヴィジョンを獲得し、再構成するのとまさに同じく、歴史的資料の地層を積み重ね、比較して解釈する」[☆29]――と、また彼が踏破した小道には「複数の時間的深み」があり、これがそれを「歴史的対象」に変貌させたという事実から発して、ドゥ・ベックはその山歩き（遊歩）をアーカイブにした。したがって、彼の本は山の歴史と旅日記を集めたものだが、この旅日記はあるときは歓喜、あるときは苦難の泉となる山歩きの行程を綿密詳細に語っているのである。

エクリチュール（書くこと）だけが「歩きの体験の日記と歩きに対する歴史家の内的考察をいっしょに織り成すことができる」、と彼は述べている[☆30]。しかしながら、テクストには二つの異なったレヴェルのエクリチュールが並行してあり、本ではそれが、たんに一般的歴史と一人称の物語が交互に出てくる各章によってのみならず、異なる活字によってはっきりと分かれている。ところで、旅日記には歴史記述論的なものはなにもなく、まったくの文学的自伝である。なぜなら、それは出発前の作者の不安や興奮、職業上の懸念――彼は失業期間中にこの遠出を企てている――、パリに娘たちと身重の妻を残してきたことへの逡巡を語っているから。また彼はこの試練の前後やそのあいだの肉体の状態についても細大漏らさず語っている――足の痛みや炎症、変形した爪のことなど書いている。「私の爪は見た者みなを恐れさす、ひづめ状の

☆29 *Ibid.*, p. 36 et 129.
☆30 *Ibid.*, p. 38.

かぎ爪になっていた。出発前に診てくれた足病医はもう処置なしだ、と言っていた」。彼は父親からそういう爪を受け継いでいた。「父が靴と靴下を脱ぐと、恐ろしかった。私が靴下を脱ぐと、やはり恐ろしかった」[☆31]。

ときには、語りの楽しみがロマネスクな性格を帯びることがあり、例えば、旅の初めに、彼はニースに着いたときのことを考え、「ネグレスコ〔ホテル名〕でロシア人売春婦に肩を叩かれる」[☆32]幻想に捉われた。ただし、彼が着いたときは、「乞食か、よくても放浪者か、みじめな落ちこぼれ同然で、虱だらけ、悪臭がし、ジャン＝メドゥサン大通りの通行人として、彼がアルプス横断から直接来た者であると考えるのは明らかに突飛なことだった」[☆33]。

それゆえ、このアルプス横断はまたジャンルの横断でもあり、そこでは歴史が文学と出会い、歴史的再構成の非人称の物語が自伝の語りの「私」に出会うのである。まだ数年前には、歴史叢書――この場合はガリマールの「歴史学叢書」――は日記形式のような著作を受け入れなかったであろうと言ったところで、無駄である。アルプス横断史には、たとえハイカー、山歩きのものであっても、ハイカーの爪や痛めた足、虫刺され、エロティックな幻想に満ちたこと細かな告白など必要なかったのだ。作者がこうした詳しい事柄を語る必要を感じたのは、それはまた彼のテクストが何か別なもの、まさに私的日記でもあろうとしたからであり、それが補足的な要求、つまり自伝的エクリチュールのそれに応えるものだからである。

☆31 *Ibid.*, p. 62-63.
☆32 *Ibid.*, p. 56.
☆33 *Ibid.*, p. 542.

自伝的局面がふんだんにある歴史記述の別な例はセルジョ・ルツァット〔一九六三―〕の『パルチザン』〔二〇一三年〕だが、これはプリーモ・レーヴィが逮捕されてアウシュヴィッツに強制収容される直前、レジスタンスの隊列に加わっていた束の間の経験を再構成し、解釈している。この場合、手がかりとなる「足跡」は化学の教科書の形をとった自伝的文学的テクストである『周期律』〔一九七五年〕の謎めいた一節である。この暗示的だが、故意にぼかした一節で、レーヴィはマキ〔山岳地帯を拠点にした抗独レジスタンス〕の小集団のなかで二人の「裏切り者」が処刑される荒廃した経験を想起している。「率直に言って、われわれは処刑を行なわざるをえず、実行したが、その結果、われわれは打ちひしがれて、士気阻喪し、すべてが終わり、われわれ自身が終わってしまいたかった」[☆34]。このかすかな手掛かりを支えにして、ルツァットはこの未経験な若いレジスタン集団の歴史、その構成や組織、その素人性を巧みに再構成した。軍事面では、レジスタンスが飛躍的に展開したのは、一九四三年一二月、レーヴィがファシスト警察に逮捕されたあとでしかなかった[☆35]。

一九四三年九月八日の休戦条約とその年末のあいだ、イタリア・レジスタンスが山岳地帯で組織化され始め、その政治的輪郭を明らかにして、山賊とは違うことを示してさらに闘った。この組織的活動はきわめて厳密でときには情け容赦なき規律の設定を前提とした[☆36]。ルツァットは二人の若い処刑の犠牲者を特定し、その断罪の原因となった事実を解明した。彼らの戦死に

☆34 Primo Levi, *Le système périodique*, Paris, Albin Michel, 1987, p. 159.

☆35 Sergio Luzzatto, *Partigia. Primo Levi, la Résistance et la mémoire*, Paris, Gallimard, coll. « NRF essais », 2016.

☆36 イタリア・レジスタンスのさまざまな段階の区別に関しては、Santo Peli, *La Resistanza in Italia. Storia e ecritica*, Turin Einaudi, 2004、参照。クラウディオ・パヴォーネはパルチザン運動における「懲罰制度」に一章を割いた。*Une guerre civile. Essai historique sur l'éthique*, Paris, Seuil, coll. « L'univers historique », 2005, ch. 7.

偽装された処刑と「裏切り者」が犠牲者に変えられたことは、英雄的にして残酷、しばしば理想化、単純化されたレジスタンスの裏面を暴露している。それゆえ、強制収容される前、レーヴィは第二次世界大戦の別の悲劇的次元、仲間を処刑するパルチザンのそれを経験していたのである。ルツァットの本はレーヴィの伝記にとっても、レジスタンスの歴史にとっても重要な新要素をもたらしている。これは、はるかに広大な風景に光を投ずるもうひとつのミクロストリアである。★2

しかしながら、この作品を胸打つ物語にしているのは、その叙述のスタイルである。つまり、インタビューした証言者の肖像、彼らとの出会いの描写、パルチザン闘争の華麗なシナリオなどである。彼はマキの背景となった山岳地帯の山歩き、眼下に広がる息を呑むほどの風景、パルチザン闘争に風土に根づいた性格を与えるアルプスの山並みの形態などを描いている。彼はこの年老いた闘士や証言者たちに対する自らの心理状態を隠さないが、彼らの語りによって彼は子供時代の思い出——両親がレジスタンスについて話してくれたこと——を想い起こし、その感動を読者に伝えるのである。ピエモンテの老パルチザン、アルド・ピアッツェンツァとその家で会ったときの描写には心打つものがある。

彼の単室アパルトマンに伴われて訪ねると、アルド・ピアッツェンツァは入口ドアに背を向

★2　ミクロストリアとは、一個人とかひとつの出来事、一村落や共同体などを対象にして微視的観点から歴史学的な調査記述を行なう、いわば「小さな場所」から歴史空間を展望する歴史研究。

けていた。彼はひざ掛け毛布をのせて、窓の方を向いていた。空中を眺め、待っていた。明らかに、彼は私を待っていた。おそらくまた別のことも待っていたのだ。彼を見て、私は少し動揺した。それは私が別な車椅子、母のそれを思い出したからであり、また私の向かいにいる人物が老パルチザンのイメージそのものだったからである。一瞬、私は自分が、ずっと前、修士論文の時代に研究していた歴史上の人物の誰かであるかのように感じた。つまり、一八三〇―一八四〇年代に大革命の誹謗者に対抗して、一七九三年の生存者の元山嶽党員を訪ねていき、調査記録にその思い出を収集していたフランスの共和派のように、である。ここではアルド・ピアツェンツァの傍に座って、私には、状況に不適切な衣を取り去るのに数分必要だった。子供だったころ、レジスタンスの死刑に処せられた者の手紙を読んでくれた母をしばらく前になくした息子の衣。ピアツェンツァのような老人に、その若いころ、山でパルチザンとして戦い、イタリアを解放してくれたことを限りなく感謝する市民の衣。私には、歴史家の非人称の衣を取り戻すのに数分必要だったのである。[☆37]

マーク・マゾワー〔一九五八―〕の『あなたが言わなかったこと――あるロシア人の過去と故郷への旅』[☆38]（二〇一七年）は、英語圏で出版された家族史の好例である。この本は二世代の歩みを描い

☆37 Luzzatto, *Partigia*, *op. cit.*, p. 46.

☆38 Mark Mazower, *What You Did Not Tell: A Russian Past and the Journey Home*, New York, Other Press, 2017.

ているが、ここでもまた作者の父方の祖父母に集中している。まず帝政制度下と両大戦間のポーランドでブント——社会主義的で反シオニズムのユダヤの政治運動——のメンバーで、その後ロンドンで裕福な実業家になったマックス。彼の妻で、スターリンのロシアで恐怖時代を生き残ったフルマ。中・東欧ヨーロッパ、ヴィルニュス、スターリングラード、戦時中の占領下パリ、そしてマークが生まれ育ったロンドン。これが場所や、町など、地理的・歴史的・実存的枠組みで、祖父母の生が交差するところであり、これを、作者は身分証明書から手紙や写真など私文書類から引き出した多数の情報源を介して、再構成することに専念している。ジャブロンカの本と同じく、マゾワーのも二〇世紀のヨーロッパ・ユダヤ人の歴史を概観させる私的な日記である。

別な例はオメル・バルトフ〔一九五四―〕の本『ジェノサイドの解剖学——ブチャチと称する町の生と死』（二〇一八年）だが、ただこれは一人称で書かれてはいない。彼は、ハプスブルク帝国とポーランドに帰属したあと、現在はウクライナにある中欧ヨーロッパの小さな町のプリズムを通して、ホロコーストを語っている。穏やかなところで、数世紀間、ウクライナ人、ポーランド人、ユダヤ人が共存していたが、突然の戦争で、恐怖政治と極端な暴力の舞台となった。ブチャチはまた作者の母の生まれた町で、彼女は本の最初のページで子供時代を想起している。この本を書くという考えが彼に浮かんだのは、まさにテル・アヴィヴの家族の家でした彼らとの会話からである。『ジェノサイドの解剖学』はミクロストリア——広大な風景に開いた小さな窓——の作品で、数か国における二〇年間の研究と記録資料の成果だが、ただその背景はきわめて私的なもので、作者は思い出とそれにまつわる感情のカサ halo を隠さない。バルトフはこう書いている。この本は「周りの支援と賢明さの網によって育まれた〔……〕それは個人的で感情的で、きわめて厚く濃密であり、私がそれを認めても、正しい尺度で感謝することができないほど必要不可欠なものである」。そしてこの企ては「それ自身の生をもち、完全に私の生を運び去ったように思える」[☆39]と付け加えている。

調査を物語化する

調査の演出化は作者の私生活に根ざしたこの新しい歴史記述に特有の主要な方法論的変化となるが、これはある社会全体の過去を解釈するとか、ある歴史的経験をその総体において分析することを目指している。こうした著作の作者は疑念や迷いを明らかにし、証言者との出会いや記録資料に埋没すること、何かの発見によってもたらされた熱狂や失望、さらには眼前で形を成す歴史に対する心の動きなどを描いている。調査はもはやたんに物語の前提であるだけでなく、源泉に近づき、それを活用する手段であり、歴史を形成する素材を生み出し、陶冶する水面下の作業である。調査は語りそれ自体の不可欠な部分となるのである。『とどのつまり』に

☆39 Omer Bartov, *Anatomy of a Genocide: The Life and Death of a Town Called Buczacz*, New York, Simon and Schuster, 2018, p. 299.

おいて、フィリップ・アルティエールは、二〇一四年一〇月、モーゼル県のサン・ジュリアン・レス・メッスにある県立公文書館を訪ねたときのことを描いている。

私は身分証明書と閲覧者番号を手にしてきたが、これがなければいかなる資料にも近づけない。まず駅前でバスに乗り、終点で降りた。そして閲覧室に座った。そこには三人いた。ひとりは落ち着きのないよく喋る男で、彼は曾祖父の生年月日を見つけたところだ。公文書館で先祖の足跡を見つけることはごく簡単なことだが、埋もれた思い出を探すとなると、これは年月時間を要する。私は調べて、整理番号をメモし、関係資料の閲覧を依頼した。そしてまず、一九六〇年代の初め、私の両親が暮らしていた町のような鉱山都市での生活がどんなものであったのか思い描こうとした。☆40

またここに類似のもののなかで、『私にはいなかった祖父母の歴史』から取った一節があるが、これは歴史的調査の物語化の雄弁な例となる。ジャブロンカは、政治活動のため監視下にあった外国人をリストアップしていた警察庁〔一九六五年以降は国家警察〕のファイルが、一九四〇年にドイツ人に没収され、一九四五年にはソ連に押収されたあと、結局、一九九〇年初めにフランスに戻っており、そこに祖父母の記載があることを発見した。そこで彼は急遽それを参照す

☆40　Artières, *Au fond, op. cit.*, p. 33.

ることにした。

パソコンとデジタルカメラを携えて、私は朝早くリヨン駅で汽車に乗り、警察庁のファイルに取り組むためにそこへ赴いた。それは多数の段ボール箱に分散され、それぞれに数百枚のカードが厚紙製本されて入っていた。各カードは個人データを一括して参照させるもので、報告書、調書、申請書、身分証明書用写真、本人と県庁、省庁、団体間の手紙などがあり、これらすべての反故同然の書類によって突然、いまはなき人びとの私生活と絶望的状況に入り込むことになる。マテス・ジャブロンカとイデサ・コレンバウム＝フェデル、またコレットの父アブラム・フィシュマン、裏地に赤いペンキの跡をつけて身分をばらされたイツェク・シュナイデル、爪を剝がれたギトラ・レシュチ、獄中の私の祖母の鬱病の証人ヘルシ・ストル、さらにフランスに亡命した他の数十人のポーランド系ユダヤ人、またあとで問題になるフランスのアナーキストたち。こうしたすべての危険人物たちが警察庁の栄誉を受けているのである。☆41

調査の発端にある「状況証拠のパラダイム」はもはや隠されてはいない。逆に、たえず提示されている。有名な論考において、カルロ・ギンズブルクはこの認識論モデルを――「証拠」

☆41 Jablonka, *Histoire des grands-parents que je n'ai pas eus*, *op. cit.*, p. 132-133.

から引き出した推論と情報の検証に基づいて——、フロイトの夢解釈、ジョヴァンニ・モレッリ〔一八一六—一八九一〕の美術批評の鑑定、アーサー・コナン・ドイルの探偵小説などにおいて明らかにした。[☆42] 彼は、このパラダイムが一九世紀末に社会科学の本質的な装置となったと示唆しているが、これは歴史研究による彼の〔状況への〕適応化を説明するものである。新しい歴史記述がそれをその語りの中心的要素にするのは、まさにこの分析装置である。「探偵」は事件を再構成し、その繋がりを分析し、主人公たちの動機を暗示したり推定したりして、証拠物件を提示するが、もはや三人称の匿名の語りの背後に隠れない。彼はどのページにも現われる。調査の報告によって歴史的な光景の微細な粒子をも把握することができると指摘しながら、ジャブロンカは、彼が社会科学における美術史のアカデミズムと同等物と見ている「終り（結果）の美学」[★3]を排斥する。[☆43] もちろん、この調査の物語化は歴史とフィクションを隔てる境界を消しはしない。なぜなら、それは〔フィクションのもたらす〕想像上の誘惑に屈することなく、「異論の余地なく」して「証拠に基づいて」いるはずの歴史的物語に同道し、これを育むからである。[☆44] それでも、歴史家自身が語り手として、自らが語る歴史に参加することは、歴史的言説の因襲的な形態を壊して、読者を仕事場に招き、そのテクストに自己反映的かつ虚構的な性格を与えることに変わりはない。[☆45]

☆42 Carlo Ginzburg, « Traces: racines d'un paradigme indiciaire » [1979], dans *Mythes, emblèmes, traces. Morphologie et histoire*, Paris, Flammarion, 1989, p. 139-180.

★3 トラヴェルソによれば、この表現はジャブロンカ自身のもので、「調査プロセスを隠して結果を提示するのではなく、結論に至るプロセスを説明する」という彼の方法を示しており、たとえて言えば、「食卓に供された料理のみならず、作業中の料理人の姿を見せるもの」だという。

☆43 Ivan Jablonka, *L'histoire est une littérature contemporaine. Manifeste pour les sciences sociales*, Paris, Seuil, coll. « Points histoire », 2017, p. 84.

☆44 Jablonka, *Histoire des grands-parents que je n'ai pas eus*, *op. cit.*, p. 267. ジャブロンカの文学と虚構の区別に関しては、ドミニック・ラ

社会学的な小休止 (Intermezzo sociologique)

ここで小さな括弧を開かねばなるまい。なぜなら、語りの「私」が、少し前まではぴたりと閉ざされていた別の分野にも現われるからである。歴史家に続いて、社会学者もまた自伝でも調査でも、さらには調査の形をとる自伝でも一人称で書き始めたのである。この現象は、社会学はつねに客観性の殿堂であったのだから、まったく新しいものである。この分野の創始者であるマックス・ヴェーバーとエミール・デュルケームはこの点では、断固として引かなかった。前者は社会科学と芸術を結びつけることを拒んだ。彼にとって、知識は客観的な性格を有し、累加的進歩の法則に従うものなので、時代遅れになること、旧式化することは科学的著作の避けられない運命であった。それに対して、彼には、芸術はすぐれて主観的で非時間的なものと思われた。もちろん彼は、芸術作品が一定の歴史的文脈において生まれ、その痕跡を有していることは認めているが、その歴史性がそれを廃用品に追い込むことはない、と述べている。われわれは古代の彫像や中世の絵画を賞賛し、それらはわれわれを幻惑し、感動を与え続けている。その特異性は創作者たちの主観性から生じているが、その伝達力は時間によって損なわれたり減じたりはしない。芸術は——他の人間的領域におけるエロティシズムと同様——科学的合理性の仮借なき強制を免れるものである。☆46 それに対して、知の生産は研究者の「自我」の超

カプラ「歴史とは何か？文学とは何か？」参照。Dominick LaCapra, « What is History? What is Literature? », *History and Theory*, vol. 56, n°1, mars 2017, p. 99.

☆45 Voir Laurent Demanze, « Les enquêtes d'Ivan Jablonka: entre histoire et littérature », *Les Temps Modernes*, n°692, 2017, p. 196.

☆46 Max Weber, *Essais sur la théorie de la science*, Paris, Plon, 1965（とくに第四の「科学の価値論的中立性について」、一九一七年）。

克とか昇華を前提としている。知識は客観的で「価値論的に中立」なのである。

デュルケームの方は、自殺を理解するには、とりわけその主観的動機を除外しなくてはならないと述べて有名になった。それを実存的危機の極端な悲劇的到達点や、苦悩や疲労、人間の生きるうえでの不幸に対する選択と見てはならなかった。そして、それを社会的事実として扱い、その規則性と変異を研究すべきであると指摘していた。デュルケームは初期の実証主義の後継者であり、これは文学を、真の科学的精神が勝利すると、消滅を余儀なくされた、ひとつの形而上学的な知の形であると見なしていた。完全な一分野として認められるためには、社会学は、想像力と主観性の領域である文学とは区別されねばならなかった。『三つの文化』（一九九〇年）において、ヴォルフ・レペニースは、二〇世紀の転換期にフランス、イギリス、ドイツで、この衝撃がどんなに激しかったかを示した。保守的な思想にとって、社会学の出現は「文化的荒廃、精神の崩壊、古典的文化への脅威」[☆47]と映っていた。社会学者たち、彼らの方はなるほど文学に関心はもっているが、距離を保ったままで、ジャンルが少しでも混淆することを注意深く避けていた。一九八〇年代末にもなお、ジャン゠クロード・パスロンは彼には自明なことと思えることを想起していた。「悪しき社会学で、ときには、よき社会学でさえも、よき文学を生み出すのがしばしば見られたが、よき社会学で、良し悪しを問わず、文学を生み出すことはけっして見られなかった」[☆48]。したがって、まったく歴史家にとってと同様、社会学者の自

☆47 Wolf Lepenies, *Les trois cultures. Entre science et littérature, l'avènement de la sociologie*, Paris, Maison des Sciences de l'Homme, coll. « Bibliothèque allemande », 1990.

☆48 Jean-Claude Passeron, « L'illusion du monde réel: -graphie, -logic, -nomie », dans Claude Grignon et Jean-Claude Passeron, *Le savant et le populaire. Misérabilisme et populisme en sociologie et en littérature*, Paris, Gallimard/Seuil, coll. « Hautes études », 1989, p. 249.

伝は必然的に作者の名声の範囲内で許される違反行為だったのである。

　人類学の主観性に対する嫌悪感もまた同じく強烈だった。クロード＝レヴィ・ストロースによると、歴史は過去の当事者に由来する記録資料によって研究する変化の科学だが、これに対して、人類学は構造に関心をもち、外部の眼差し、つまり、研究対象の集団と「無関係な」研究者の眼差しを要求している。[☆49] 彼はこう書いている。構造主義はそれゆえ「主観を排除し」なければならず、これを、「あまりに長く哲学的舞台を占有し、あらゆる誠実な仕事を阻害して独占的な注意を要求する耐え難い甘やかされっ子」[☆50]のごとき攪乱分子であると見なしていた。

　社会学者によって書かれた最初の真の自伝はこの分野が生まれてほぼ一世紀後に出版され、注目すべき文学的次元を有している。リチャード・ホガート〔一九一八―二〇一四〕の『ニューポート街三三番地』〔一九八八年〕の副題「イギリスの民衆階級出身の知識人の自伝」が、その内容と目標を予告している。これはきわめて個人的で私的なテクストで、リーズ市の労働者街生まれの孤児の社会的上昇コースを描いているが、この建設労働者の息子はまずバーミンガム大学で文学教授となり、スチュアート・ホール〔一九三二―二〇一四〕と『カルチュラル・スタディーズ』の風潮の基礎を築き、次いで、ロンドン大学で社会学教授になったのである。この著作では、作者は自らに社会学的分析手段を適用し、その出身社会に対する文化的、感情的な深い愛着を研究し、そこでは「平穏で落ち着いた強い幸福感」[☆51]を覚えるという。この本は自伝的エクリチ

☆49　Claude Lévi-Strauss, « Les limites de la notion de structure en ethnologie » [1972], cité dans François Hartog, *Évidences de l'histoire. Ce que voient les historiens*, Paris, Éditions de l'EHESS, coll. « Cas de figure », 2005, p. 113.

☆50　Claude Lévi-Strauss, *Mythologiques, t. 4, L'homme nu*, Paris, Plon, 1971, p. 614-615.

☆51　Richard Hoggart, 33 Newport Street. *Autobiographie d'un intellectuel issu des classes populaires anglaises*, Paris, Gallimard/ Seuil, coll. « Hautes études », 1991, p. 62-63.

ユールのモデルとなり、容易に想像できることだが、彼の分野の規範を揺るがした。つまり、主観性と文学が社会学に登場したのである。

この前例はピエール・ブルデューにとって仕事を容易にしたであろう。それはたとえ彼の『自己分析のための素描』(二〇〇四年)が文学的な意図をもたず、彼自身の生と学者としての歩みに社会学的調査のルールを適用するのに限り、そうして彼のハビトゥスがどのようにして形を成したかを説明している。[☆52] そのために、彼はベアルネ地方の質素な家庭での子供時代、寄宿生としての教育、アルジェリアでの経験、高等師範学校入学、読書や教師たちのことを語っている。おそらくこの最初の先駆的な試論に鼓舞されて、他の社会学者たちが自己自身について書く欲求を感じたであろうが、それもたんに彼らの知的道程を考察するだけでなく、その生や家庭、経験、自我について語るためである。

この「社会学的方法のルール」違反から生まれた最も優れた本のひとつは、ブルデューの弟子であるディディエ・エリボンの『ランスへの帰郷』(二〇〇九年〔塚原史訳、みすず書房〕)であろう。ジャン・ジュネから借用した表現によると、「私自身の国」への初めての帰郷であるこの評論は本質的な前提から出発している。[☆53] フーコーとブルデューから想を得た方法によって、ゲイの性的主体化形態の研究に数年費やしたあと、エリボンはひとつの事実に対峙する。すなわち、自らの社会学者としてキャリアが出身社会、彼の家族の属していた社会的世界、ランスという

☆52 Pierre Bourdieu, *Esquisse pour une auto-analyse*, Paris, Raison d'agir, coll. « Cours et travaux », 2004.

☆53 Didier Eribon, *Retour à Reims. Une théorie du sujet*, Paris, Fayard, coll. « A venir », 2009.

地方都市の民衆階級、ホモの父親に支配されたプロレタリア家庭の世界からの逃避願望に駆り立てられていたことである。父の葬儀にも出なかったほど、三〇年ばかり決定的に断絶したあと、エリボンはその出自を受け入れるようになった。「私には社会的な恥よりも性的な恥について書くほうが簡単だった[☆54]」、と彼は正直に認めている。徹頭徹尾、きわめて内的で個人的、自伝的なこの評論はひとつの社会的世界に生々しい光を投じ、作者が自らを語るのに社会学者の帽子を取る必要がないことを示している。自らの経験を基にして、エリボンは彼自身の分野に関してきわめて正確な観察を巧みに表明しており、例えば彼は、レイモン・アロンが多分に異論の余地ある概念と見なしていた「階級意識」の捉えがたい性格について示した懐疑的な指摘を再検討している。

　この指摘に対して、『ランスへの帰還』の作者にとって異論があると思えるのは、生来アロンには自然なものだから否定されているが、アロン自身の階級意識である〔著者トラベルソによれば、アロンは〝存在論的にブルジョワ〟であったという〕。つまり、「支配者は自らがあらかじめ位置づけられた特別の世界に組み込まれていることを理解していない（白人が白人であることを、異性愛者が異性愛者であることを意識しないのと同様に、である）」。そしてエリボンはこう結論する。階級意識に関するアロンの指摘は「特権者が発したナイーヴな告白にすぎず、彼はその社会的地位のこと以外はなんにも記述しないのに、社会学を論じていると思っているのだ」。彼らはたっ

☆54　*Ibid.*, p. 21.

た一度しか会っていないが、彼にはそれで十分だった。「彼〔アロン〕にはすぐに嫌悪感を覚えた。見た瞬間、私はそのさも優しそうな微笑、甘ったるい声、泰然とした理性的な性格を誇示するその様子、結局はすべてが礼儀とイデオロギー的穏健さのブルジョワ的〝エートス〟以外なにものも示さないことにぞっとした☆55」。まさに階級闘争を分析するときには燃えんばかりの調子も帯びる、この同じイデオロギー的穏健さ。エリボンの軽蔑は徹底している。「結局のところ、彼のペンは傭兵なのだ。支配者とその支配のために雇われた兵隊なのだ☆56」。かくして、この社会学者の自伝物語はその分野のなかできわめて明確な境界を定めるのである。

およそ一〇年後、もうひとりの社会学者ナタリー・エニシュ〔一九五五―〕、彼女もまたブルデューの元弟子で、師と断絶しているが、自伝『あるフランスの歴史』〔二〇一八年〕☆57を出版している。写真多数のこの本は怒りのない、穏やかなテクストである。これは彼女の家族史で、父リオネルの系統ではユダヤ教で、オランに移住後、マルセイユに定着したウクライナのユダヤ人家系の出で、母ジュヌヴィエーヴの系統はアルザスのブルジョワジー出自のプロテスタントであった。父母の出会いは普通にある当然のことではなく、それぞれの家庭で多くの抵抗にぶつかり、本は家族のアルバムの形でその系譜を描いている。あとがきで、エニシュは題名を説明している。つまり、「フランスの歴史 histoire de France」の小文字の h は換喩というよりもむしろ「小さなかけら」である。国民史と交差する二つの象徴的歴史。つまり、その他多くのなか

☆55 *Ibid.*, p. 101.
☆56 *Ibid.*
☆57 Nathalie Heinich, *Une histoire de France*, Paris, Les Impressions nouvelles, coll. « For intérieur », 2018.

の「個人的レヴェルの」[☆58]あるひとつのフランスの歴史。もう一度言うが、作者は社会学と文学の十字路で家族史を書くという野心を認めている。彼女は情報を私文書類（行政文書、写真、証言、彼女自身の思い出）から得ているが、それを「社会学から生まれた世界理解の道具立て」[☆59]、とくに社会的移動、文化的・経済的資本の概念、わけてもエリアスから借用した定着者／部外者の関係の弁証法[☆60]によって解釈している。私的な表現様式を選択して、彼女は、W・G・ゼーバルト〔一九四四―二〇〇一、ドイツの作家〕、ダニエル・メンデルゾーン〔一九六〇年―〕もいた多くの作者たちとの交際で育まれた「異形の文学的ジャンル」[☆61]の道を歩むのである。

ニコル・ラピエール〔一九四七―〕のすべての本には自伝の部分が入っており、少なくとも『記憶の沈黙』（一九八九年）にはすでにあり、彼女はそこで父の故郷であるポーランドの村プロックのユダヤ人の足跡探しに乗り出している。[☆62]彼女の体験、両親、家族の過去と現在はまた『名前を変える』（一九九五年）の発端にもあり、これは移民、とくにユダヤ人、アルメニア人、アラブ人における固有名詞の変形を探究しているが、また『共通の立場』（二〇一一年）でも、共有された抑圧撲滅闘争から生まれたユダヤ人と黒人の出会いの歴史を再発見している。[☆63]これらすべての著作には主観性の役割が認められるが、厳密に社会学的・人類学的調査のルールを遵守している。それに対して、『逃げろ』（二〇一五年）は語の厳密な意味で自伝的物語である。[☆64]これは母と姉妹の自殺を悼む喪の経験から生まれているが、悲しみや苦悩、メランコリックな後悔などの

☆58　*Ibid.*, p. 218.

☆59　*Ibid.*, p. 219.

☆60　Norbert Elias, « Note sur les Juifs en tant que participants à une relation établis/marginaux », *Norbert Elias par lui-même*, Paris, Pocket, coll. « Agora », 1995, p. 150-159. を見よ。

☆61　*Ibid.*, p. 221.

☆62　Nicole Lapierre, *Le silence de la mémoire. A la recherche des Juifs de Plock*, Paris, Le livre de poche, coll. « Biblio essais », 2001 [1989].

☆63　Nicole Lapierre, *Changer de nom*, Paris, Gallimard, coll. « Folio essais », 2006 [1995]; *Causes communes*, Paris, Stock, coll. « Un ordre d'idées », 2011.

☆64　Nicole Lapierre, *Sauve qui peut la vie*, Paris, Seuil, coll. « La librairie du XXIe siècle », 2015.

重苦しく悲痛なものはなにもない。同情などは求めていない。逆に多くの場合、一種の陽気で心励ます感情移入を呼び起こしている。喪のサイクルは終わっているのだ。思い出は決然として生の側に移っている。

それゆえ、彼女が書いているように、これは「私的な家族物語」であり、彼女が「それまで拒んでいた」領域である。またこの私的な物語が一般的傾向に組み込まれるとしても、時代の風潮に迎合した順応主義的なテクストはひとつもなく、活動の道徳的保証を記憶から取ろうとする秩序を補強するために書かれているのではない。家族史を辿り、社会学の道具立てを用いて「記憶のためのユダヤ人の闘い」と交差したあと、彼女はいまなぜこの記憶の場に「自らを見出せない」のかを説明している。彼女にとっての記憶は強制収容とか怨みではなく、むしろ「世代交代を促すいま現在に満ちた過去[☆65]」のそれである。この自我のエクリチュール、文学的な「私」を完全に受け入れて移行することは、方法論的な考察を経ずしては起こらなかった。二〇一〇年のジャブロンカとの対話において、彼女はすでにこの選択を説明している。「私」を受け入れることは、と彼女はこう言っている。「慎みのなさとか自己中心主義」を示すのではなく、「〔主観性が〕関与している現実を認めることである。私たちはいくつかの調査や研究テーマによって推し進められ、引きつけられているが、これは実際にはけっして偶然に選ばれたものではない」。したがって、彼女には、一人称で書くことは「厳密かつ誠実」な方式であり、

☆65　*Ibid.*, p. 249.

「研究において主観性の部分を客観化する」[66]ひとつのやり方である。そのやり方で首尾一貫して、ニコル・ラピエールは自ら監修する評論叢書を「思想の次元」と命名して、参加する知識人の自伝や、自伝的物語の混じった調査を受け入れる場としたのである。[67]

☆66 Ivan Jablonka, « Éloge de la bâtardise. Entretien avec Nicole Lapierre », *La Vie des idées*, 28 mai 2010.

☆67 Michel Warschawski, *Sur la frontière*, Paris, Stock, coll. « Un ordre d'idées », 2002; Benjamin Stora, *La dernière génération d'Octobre*, Paris, Stock, coll. « Un ordre d'idées », 2003; Daniel Bensaïd, *Une lente impatience*, Paris, Stock, coll. « Un ordre d'idées », 2004; Régine Robin, *Berlin chantiers*, Paris, Stock, coll. « Un ordre d'idées », 2001. を見よ。

ジャブロンカはここで検討している新しい主観的ジャンルを方法論的評論『歴史は現代文学である——社会科学のためのマニフェスト』（二〇一四年〔真野倫平訳、名古屋大学出版会〕）において理論化しているが、その題名はほとんどプログラム化されたものである。一九世紀に宣告された歴史と文学の大いなる離婚、訣別後、この新たな出会いの擁護は、バルザック的リアリズムの公準による、所謂文学の歴史に対する優越性の認知でも、歴史の社会科学領域への帰属の再検討でもない。逆に、これはむしろ、彼には存在理由がないこの離別のAufhebung〔止揚〕、つまりは弁証法的超克を要求する。ジャブロンカはポストモダンの懐疑的挑戦がまたもや、歴史に自己を文学に反する（contre）科学と定義づけせしめたことを嘆いているが、いまや言語論的転回の波が枯渇したのだから、彼は歴史にその文学的次元を戻してやるときがきたと見なしている。「歴史はそれ自身以外のなにものでもないときには文学である」、と彼は指摘している。事実を物語に挿入することでも、論証に「肉」や雰囲気を加えることでもなく、むしろ「テクストが具体化して展開する推論のなかでフィクションを活性化すること」☆1が問題である。彼が研究す

☆1　Ivan Jablonka, *L'histoire est une littérature contemporaine. Manifeste pour les sciences sociales*, Paris, Seuil, coll. « Points », 2017, p. 249.

る出来事、彼が尋ね歩く証言者、彼が発見する情報源、彼が検証する記録文書、探究する原資料が彼を魅惑し、感動させるならば、歴史家はその感動を読者に伝えることができなくてはならない。彼はその過去の語りに文学的性格を与える必要はなく、調査者の客観的厳密さと作家の創造的主観性を上首尾に結びつけることができる。

相対主義の形を表明するどころか、この歴史家の主観性の認知は「知識をより客観的にする[☆2]」、とジャブロンカは主張する。かくして、彼はペレック[★1]を歴史に加え、彼を自分自身のモデルにする。[☆3] またかくして、彼はミシュレの「歴史的自我 (moi-histoire)」を復権させ、死者の「復活」の公準を受け入れている。[☆4] ポール・リクールが創出した物語的自己同一性 (identité narrative) 理念を自己のものとしながら、[☆5] 先に見たように、彼は歴史（経験と事実に基づく証拠により確かめ証明された物語）とフィクション（作者の想像力が生み出した筋立て）のあいだの実質的な区別を守ろうとするが、歴史家が作家のように書く、すなわち、彼らが同じ物語方式を共有することも強調している。小説家のように、歴史家も語りの織物を創造するが、彼は現実から解き放たれてはいないから、なにも発明することはない。リクールによると、物語的自己同一性は歴史的でもあり、主観的でもあるが、それはこれが異なるが、繋がってもいる時間性の交差するところに位置しているからである。つまり、「宇宙」の現象学的時間と人間存在の主観的時間、またある一定の社会の歴史的時間と作家の内なる時間の交差するところである。かくし

☆2 *Ibid.*, p. 289. Nathan Bracher, « Timely Representations: Writing the Past in the First-Person Present Imperfect », *History & Memory*, vol. 28, n°1, printemps-été 2016, p. 3-35; Dominick LaCapra, « What Is History? What Is Literature? », *History and Theory*, vol. 56, n°1, mars 2017, p. 98-113. も見よ。

★1 前出ジョルジュ・ペレック、文学集団「ウリポ」に属し、言語的遊戯に満ちた作品を遺している。

☆3 Jablonka, *L'histoire est une littérature contemporaine*, *op. cit.*, p. 214. それゆえ、ジャブロンカを「ペレック的作家」と定義づけられよう。Laurent Demanze, « Les enquêtes d'Ivan Jablonka entre histoire et littérature », *Les Temps modernes*, n°692, janvier-mars 2017, p. 192-203. を見よ。

☆4 とくに彼がみずからの『私にはいなかった祖父

て物語的自己同一性は存在を事実に基づき客観的に定義づけること(mêmeté同一性)と、その住む世界へ自己を主観的に刻み込むこと(ipséité自己性)との二分法を超越するのである。

物語的自己同一性を新しい歴史記述様式として表現するため、ジャブロンカはその作品に共存する多様な「私」の類型学を素描する。まず「立場としての私」で、作者を観測所に位置づけ、観測指示システムと観点を定義づける。これは認識論的な姿勢を決定する「自己分析」と自己文脈化の形態を前提とする。次に「調査する私」がいる。歴史家は方法を提示し、仮説を表明し、情報源を選択し、いかにして研究を行なうかを説明しなくてはならない。この歴史的理由の提示――質問、調査、研究、論証――が辿るべき「認識の道」を示している。最後に「感動する私」がいる。歴史家はその感情を流れるままにしておき、調査への実存的関与を示さなくてはならない。彼は記述する出来事への反応を隠してはならず、むしろそれを調査の進展を画する段階として物語に挿入しなくてはならない[☆6]。この多様な「私」は当事者と歴史的出来事に対して、より大きな批判的距離を獲得する手段である。ジャブロンカはこの方法を「自我」から「私」への移行として定義づけて、理論化する。つまり、自己自身の解釈学でもなく、初めから終わりまで物語装置に変形された「私」が行なった研究である[☆7]。

この方法は先に言及した作品にも適用されるが、まだ、それが本当に「自我」から「私」への移行であるかどうか証明しなければならない。こうした本の成功は、読者が、この物語様式

母の歴史』の巻頭に置いた、『フランス革命史』からの引用によって、である。

☆5 Paul Ricœur, *Temps et récit*, t. 1, *L'intrigue et le récit historique*, Paris, Seuil, coll. « Points essais », 1991 [1983]. Paul Ricœur, « Narrative Identity », *Philosophy Today*, vol. 35, n°1, printemps 1991, p. 73-81. を見よ。

☆6 Jablonka, *L'histoire est une littérature contemporaine*, *op. cit.*, p. 289-290.

☆7 Bracher, « Timely Représentations », *loc. cit.*, p. 32. を見よ。

に揺さぶられたり乱されたりせずに、これに同意し、さらには推奨さえすることを示している。だが、小説家のように、有能な他の歴史家が一人称で書くとか、その感情を媒介物なしで直接的な形で誇示することなく、優れた文学性を備えた歴史のフレスコ画を描いていると異議を唱えられるかもしれない(真っ先に思い浮かぶのはアイザック・ドイッチャーだが)。しかし問題はそこではない。なぜなら、この歴史記述の方法論的革新は専一的に文体的とか美学的なものではないからである。結局のところ、これが明らかにするのは認識論的移行(シフト)である。歴史家がつねにその分野の多かれ少なかれ洗練された道具立てで過去を探索し解釈するとしても、いまでは彼らは主観的な問いかけから発してそうしている。いまや彼らの本はたんに、何が起こったのか、どのようにして、なぜ? というような問いにだけではなく、また——或いはむしろ——別の実存的な次元の問いに答えようとする。すなわち、私は誰なのか? どこから来たのか? 私は、どのような家族や世代間の絆で過去に結びつけられているのか、と。

ジャブロンカが、客観的で「価値論的に中立な」知を生み出すという科学万能主義的な歴史記述のような主張は幻想で欺瞞的である、と指摘するのは正しい。このことはなにも新しくはない。しかしながら、方法論的な主観主義は必ずしもその逸脱に対する最良の選択ではない。過去と現在を混淆する物語、語り手が再構成しようとする歴史の当事者と同じ位置を占める物語において、歴史家の主観性をたえず誇示することは、また同じく厄介な難点を呈する。『レティシア』において、ジャブロンカの「私」が相次ぐことには眩暈がする。変幻自在で、彼はときには歴史家の衣、ときには作家の衣をはおり、またときにはこの事件が政治的な道具立てに使われることに憤慨するたんなる市民であり、ときには姉のジェシカの弁護士との友好な関係を語るが、後者は彼に写真や手紙を提供し、レティシアのフェイスブックのアカウントにもアクセスさせて、仲介役を果たしている。彼は予審判事の公平無私を称え――「けっしてこの人物の感情がプロの領域に侵入しなかった」[☆8]――、歴史家として相手に強い親近感を感じているが、ただ彼が作家の帽子をかぶり直すと、彼自身の感情を思い切り羽ばたかせて、レティシアの美しさを称賛し、どんなに彼女のSMSに感動したかを語り、本の一章にフロベール的な題名、「レティシアは私だ」[☆9]を与えるほどだった[★2]。このように「私」を多用しながら――客観的な調査者、超然的な分析家、証人、友人、その感動を共有させようとする感性鋭敏な作家――、この歴史家はまさに当初思いもしなかった者になった。すなわち、「神としての語り手」、にである。

一般読者と批評が『レティシア』を歓迎し、これが数々の賞を受けた作品だとしても、研究者たちの受取り方はより限定的だった。マージナルな存在の自伝的エクリチュールの歴史家であるフィリップ・アルティエールは、この作者の「大衆迎合的な」姿勢と「歴史の当事者の代

☆8　Ivan Jablonka, *Laëtitia. Ou la fin des hommes*, Paris, Seuil, coll. « La librairie du XXIe siècle », 2016, p. 224.
☆9　*Ibid.*, p. 357.
★2　これは「ボヴァリー夫人は私だ」と言ったフロベールのもじり。

わりに語る」という欲求、彼らをもう一度下位の地位に追いやり、「小児化している」[☆10]ことを非難した。レオノール・ル・ケーヌは、とくにメディアで非常に話題になった婦女暴行「グアルド事件」の歴史を研究している人類学者だが、彼女も『レティシア』の作者を、物語をより円滑、流動的にし、「焼け付き」[☆11]を起こさないようにするため、物語の要求に応えて調査のルールを曲げたと非難した。言い換えると、彼女はジャブロンカが、エクリチュールをより魅力的にするため、研究者の科学的な厳密さを放棄したのだろうと推測している。セルジョ・ルツァットの『パルチザン』も似たような批判を受けた。つまり、疑わしい証人の選択、一面的な調査、レジスタンスの内部で行なわれた裁きに関する既存の研究に対する完全な無関心、またとくに作者が出しゃばりすぎて、危うく「ヴァッレ・ダオスタとモンフェッラート〔いずれも北イタリアの州〕のあいだに移ってきたインディアナ・ジョーンズのパロディー」になるほどだ、と。

研究を純粋な物語に変えて、自らを彼自身の歴史の登場人物としながら、ルツァットは結局「研究と歴史的真実を犠牲にして」[☆12]フィクションを重視したのであろう。

要するに、ジャブロンカとルツァットの著作では、物語が調査に優先し、方向づけて、純粋に文学的であることを目的とする「方法的フィクション」を出現させたという疑いが浮上するのである。それが何人かの研究者を苛立たせることで、彼らは同じ問題に直面しても、調査の至上命令に従って、あるときはテクストの語りの流動性を犠牲にし、あるときは証人の声を前

☆10 Philippe Artières, « Ivan Jablonka, l'histoire n'est pas une littérature contemporaine ! », *Libération*, 6 novembre 2016. ネイサン・ブラッハーが断固退けた批判、« Jablonka et la question du sujet en sciences sociales. Le cas de *Laëtitia ou la fin des hommes* », *French Politics, Culture & Society*, vol. 36, n°3, décembre 2018, p. 92-108. 参照

☆11 Léonore Le Caisne, « Laëtitia ou la fin de l'enquête scientifique », *Revue d'histoire moderne et contemporaine*, vol. 64, n°1, 2017, p. 175-185.

☆12 Enrico Mattioda, « À propos de l'édition française de *Partigia* de Sergio Luzzatto », *Laboratoire italien*, n°18, 2016, p. 4. ルツァットの方法擁護としては、Marcello Flores, « Une polémique sur les intentions cachées », *Atelier*

にして慎ましく姿を消している。ところで、問題は、この二人の作者が二〇〇年前に歴史記述に定められた限界を越えようとしたことからくるのではない。なぜなら、彼らの意図は歴史とロマネスクな虚構の区別を再検討することではないからである。問題はこの正当なる文学的要求が歴史家の自己の演出化、さらには露出オーバーに現われ、その帰結が必ずしも実り多いものではないことからくる。換言すれば、問題は歴史家の文学的野心ではなく――いくつかの歴史書は芸術作品である――、歴史の「文学化」によって歴史が、いわば物語に侵入することが可能になったことである。したがって、過去はその語り手の主観性の下に埋没している。『パルチザン』にはルツァットとプリーモ・レーヴィ、『レティシア』にはジャブロンカとレティシア・ペレという二人の主人公がいるのである。

一五年前、カルロス・フォルカデルは、歴史研究における「階級からアイデンティティ[☆13]」への移行プロセスに着目している。今日、集団的アイデンティティから個人的アイデンティティへの移行を語るさいにも、同じような判断を下せるかもしれない。ただそのような変化が、最近まで自伝的な形をとることが厳密に禁じられていた分野のプロフィールを再定義することになる、と付け加えても無駄であろう。この新しい主観的なアプローチと以前の歴史記述の風潮との隔たり――フェルナン・ブローデルの構造主義を考えるだけでよいが――には、驚くべきものがある。人間社会の人口動態や経済、地殻構造の変動など大空間の歴史的時間性に直面し

international de recherche sur les usages publics du passé, 18 mai 2013. を見よ。

☆13　Carlos Forcadell, « Historia social: de la clase a la identidad », dans Elena Hernández Sandonica et Alicia Langa Laorga (dir.), *Sobre la historia actual. Entre política y cultura*, Madrid, Abada, 2005, p. 16-35.

て、個人的時間性は消え失せて束の間の、さらには枝葉末節的なものの領域に「自己」を追いやってしまう。ただ周知のごとく、ブローデルは「出来事」を無視し、そこに「水面の揺れ、潮がその強力な運動の上に巻き起こす波[☆14]」、岸に達すると消えてしまう波しか見ていなかった。

それに対して、新しい主観的な歴史記述は完全に実存的な時間性を軸に展開されている。つまり、二重の実存的時間性――過去の当事者のものとそれを復活させる歴史家のもの――だが、それでもやはりあらゆる場面を占めて、集団的な大ドラマの交響曲をソロに変える主観的時間性である。確かに、「長期持続」のパースペクティヴで書かれた歴史は消えていないが――一九世紀史のクリストファー・A・ベイリーやユルゲン・オスターハメル、二〇世紀史のダン・ディナー、トニー・ジャット、イアン・カーショーの大いなる叙述を考えれば十分である[☆15]――、しかし新しい主観的な歴史ジャンルは次第に席を占めるようになった。何人かの歴史家はある音域から他の音域にいとも簡単に移ってゆく。『あなたが言わなかったこと』の作者マーク・マゾワーの評判は、より因襲的な様式で書かれた二〇世紀の歴史に関する著作のお陰であり[☆16]、またフィリップ・アルティエールも登場人物=当事者との自己同一化的(homodiégétique)様式には頼らずに（或いはより控え目に）、横断幕の使用やその意味とか、視覚記号的な犯罪の出現について書いたのである[☆17]。

歴史はつねに現在形で書かれ、これが歴史家の眼差しを鍛え、その過去と「歴史記述契約」

☆14 Fernand Braudel, « Histoire et sciences sociales: la longue durée », dans *Écrits sur l'histoire*, Paris, Flammarion, coil. « Champs », 1969, p. 12.

☆15 Christopher A. Bayly, *La naissance du monde moderne (1780- 1914)*, Paris, Les Éditions de l'Atelier / Le Monde diplomatique, 2006; Jürgen Osterhammel, *La transformation du monde. Une histoire globale du XIXe siècle*, Paris, Nouveau Monde, coll. « Opus magnum », 2017; Tony Judt, *Après-guerre. Une histoire de l'Europe depuis 1945*, Paris, Fayard, coll. « Pluriel », 2010 [2007]; Ian Kershaw, *L'Europe en enfer (1914-1949)*, Paris, Seuil, coll. « L'univers historique », 2016; et *L'âge global. L'Europe de 1950 a nos jours*, Paris, Seuil, coll. « L'univers historique », 2020.

☆16 たとえばMark Mazower, *Le continent des*

の前提、すなわち、彼と研究対象を隔てる距離の認識をもたらしている。歴史の主観的記述は現在主義的であるが、それは過去の再構成に「自伝的契約」――この表現はフィリップ・ルジュンヌの規範的定義、つまり「作者、語り手、登場人物のアイデンティティを想定する記述法[☆18]」――を導入するからである。二つの時間性――作者のものと対象のもの――は異なっているが、たえず交差している。この過去と現在のぶつかりの結果として、作者は、自らがその歩みを描こうとする人びとと同じ資格で、語る歴史の主人公となる。そこにまた、今一度ルジュンヌを借用すると、「指向的契約（pacte référentiel）」があるが、それは現実と「確認の試練」が二つの入り混じった物語に有効だからである[☆19]。厳密に言えば、舞台に登場する作者にも過去の物語にも、フィクションはない。家族史において（ジャブロンカ、マゾワー）、二つの物語の融合は、これが世代間の経験の伝達を行ない、歴史の激動によって痛めつけられた絆を回復する限りにおいて、ポストメモリアルな性格を帯びるのである。

「自我」を隠すとか昇華することなく歴史を書くことはまた危険もはらむ。これを実践することで歴史家が頻繁に晒される危険は、もちろん不毛なナルシシズムである。つまり、自伝的ジャンルの中傷者たちは正鵠を射ているのだ。歴史的、社会学的または政治的分析と自伝的物語を連結することはひとつのことである。だが前者を後者で置き換えることは別問題である。この横滑りして置き換えることは、ほかの点から着想を得た研究者が屈しやすい漠然とした誘惑

ténèbres. Une histoire de l'Europe au XXe siècle, Bruxelles, Complexe, coll. « Histoire du temps présent », 2005; 同じ著者の *Hitler's Empire: How the Nazis Ruled Europe*, Londres, Penguin Books, 2009. を見よ。

☆17 Philippe Artières, *La banderole. Histoire d'un objet politique*, Paris, Autrement, coll. « leçons de choses » 2020 [2013]; 同じ著者の *La police de l'écriture. L'invention de la délinquance graphique (1852-1945)*, Paris, La Découverte, 2013.

☆18 Philippe Lejeune, *Le pacte autobiographique*, Paris, Seuil, coll. « Poétique », 1975. を見よ。

☆19 *Ibid.*, p. 36.

である。二〇一五年秋、パリで起こったテロ事件★3のわずか数か月後、パトリック・ブシュロンは作家マチユ・リブレと『日程を決める』☆20と題した小論を著わした。全国規模で集団的反響を呼び起こしたショッキングな事件に対して、歴史家が小説家といっしょになって、起こったことが感情のプリズムを通してのみ語られる私的な日記を書き発表することは、取るに足りないことではない。作者たちはテロ後数日間襲われた無力感と、もうなにもわからない「暗い夜」に落ち込んだという印象を描いている。彼らの小論は味わわされたこの「荒廃のもたらす麻痺感情」☆21と、一挙に精神をたわめた「茫然自失が伴うこと」☆22を表わそうと努めている。事件の与えた「茫然自失のショック」の影響は、小論中ずっと、合理的に理解するための努力すべてが一種の恐怖の高まりで不可能になっていると強調するほどである。なぜなら、彼らは数か月後の『リベラシオン』紙のインタビューで、「個人的な喪と集団的感情のあいだにある、あの仕切りの内部崩壊」、彼らが「歴史の息吹を」☆23捉えたと思った感覚を経験したと言っているからである。

要するに、事件のことはなにも理解できないと言うための小論なのだ。「人びとはすべてを考え、またその反対のことも考え、聞いて、見て、読んで、そしてみんなが正しいと思い、一瞬のちにはみんなが間違っていると思うのだ☆24」。一言でいうと、テレビで流れるイメージを前にして「誰もが立ちすくみ、茫然としている」のである。☆25唯一批判的で真摯な考察だけがかく

★3　パリ郊外のサッカー場や十一区のバタクラン劇場のテロ、死者約一三〇名。

☆20　Patrick Boucheron et Mathieu Riboulet, *Prendre dates.Paris, 6 janvier - 14 janvier 2015*, Lagrasse, Verdier, coll. « La petite jaune », 2015.

☆21　*Ibid.*, p. 8.

☆22　*Ibid.*, p. 7.

☆23　Catherine Calvet, « Patrick Boucheron et Mathieu Riboulet: "La question aujourd'hui est 'qui est nous?' plutôt que 'qui est Charlie?'/ " », *Libération*, 10 juillet 2015.

☆24　Boucheron et Riboulet, *Prendre dates*, *op. cit.*, p. 49.

☆25　*Ibid.*, p. 60.

も深刻な無力感の原因を言い当てている。つまり、標的を選びながら、テロリストたちは、ブシュロンとリブレによると、「われわれが本気で守ろうと思っているが、実際にはそれを好まないので、もう守っていない」[☆26]価値観を攻撃しているのである。

かつて知識人はスピノザのモットー、一種の生活信条「笑わず、嘆かず、呪詛せず、ただ理解すること」[★4]に従っていたが、今日彼らは嘆くこと以外は望まないようだ。これはアプローチとしてはかなり奇妙なことである。つまり、テロについて書くのは解釈するとか、それがもたらした反応を分析する――エマニュエル・トッドが『シャルリーとは誰か?・』〔二〇一五年〕[☆27]でしたことだが――ためではなく、ただ精神状態を表わすためなのだ。また私的な日記に考察を記したのは、机上や引出しの中に残したままにしておくためではなく、三か月のちに「インスタント・ブック〔即席本〕」で出版するためなのである。

そのようなアプローチは感情を理性と置き換えるという大きな危険があり、また誇張するのではないとしても、道具立てとして利用されやすい恐怖を受け入れさせることになるかもしれない。当時の首相マニュエル・ヴァルスによると、「説明することはすでに多少謝罪することである」という。だから、恐怖がどこから出現したのかを理解し、それをもたらした次元を問い、批判的な目で引き起こされた反応の分析をしようとせずに、知識人はペンをとって、自らが無力感を感じていると言うだけである。ニコラ・ヴィエイ=ユスカーズはこの任務放棄を単

☆26 *Ibid.*, p. 114.

★4 これは、スピノザの翻訳で有名な畠中尚志(一八九九―一九八〇)「回想記」(岩波書店『図書』一九七七年)によると、スピノザの自戒の語とされることの表現の原語は『国家論』第一章にあるNon ridere, non ligere neque detestari, sed intelligereで、「不嘲不歎不呪而唯識」という安倍能成の見事な漢語訳があるという。

☆27 Emmanuel Todd, *Qui est Charlie? Sociologie d'une crise religieuse*, Paris, Seuil, 2015.

刀直入に痛烈に批判した。「かくして、知識人はその脱落を主観化している。つまり、しばしば自らに向けられる——なんの役にも立たないという——非難に同化して、彼自身が飾り物になるのである。[☆28]」。彼の声は、デパートで雰囲気を出すためのバックグラウンド・ミュージックのように、バックグラウンド・ノイズになるのだ。バックグラウンドの知識人は批判的思考が停止してしまう。そうすると、いったい何が残るのか？　セルフィを撮るように書かれた私的な日記、友人やフォロワーに直接流すための自我（画）像（egoportrait=selfie）だけである。

『日程を決める』はもうひとつのホットな反応、二〇一二年、トゥルーズでモハメッド・メラが犯した虐殺事件に対するウリア・ブテルジャのものに比較できるかもしれない。衝撃も怒りも隠さず、この出来事がどんなに彼女にその過去と彼女自身の経験を思い出させたのかを示す言葉で、やはり彼女は理解しようとした。「私は彼を否定できない。私は逃げられない。私は穴を掘って、事件のほとぼりが冷めるまでそこに潜っていることはできない。モハメッド・メラは私だ。最悪なのはそれが本当だということだ。私同様、彼はアルジェリア出身で、私同様、下町で育ち、私同様、イスラム教徒だ。〔……〕モハメッド・メラは私だ。モハメッド・メラは私で、私は彼だ。私たちは同じ生まれで、とくに同じ境遇だ。私たちはポストコロニアルの人間だ」。彼女のように、メラは社会的・民族的ゲットーに変えられた郊外の下町で成長した。彼女のように、二〇〇一年九月一一日以後、彼はイスラム嫌い、反イスラムの武器として

☆28　Nicolas Vieillescazes, « Qu'est-ce qu'un intellectuel d'ambiance? », *Lundi matin*, n°189, 29 avril 2019.

振りかざされたライシスム〔政教分離論〕、共和国の価値観擁護に偽装された人種主義によって烙印を押されたと感じていた。もちろんそれは彼の犯罪を説明もしないし、正当化もしないが、その背景を照らしていた。「モハメッド・メラは私で、また私ではない」、と彼女は付け加えているが、それは「フランス人」と、象徴化され、神秘化されて結局はスケープゴートに変えられた「ユダヤ人」を攻撃しながら、彼は「彼自身の敵の陣地に加わってしまった」☆29からである。恐怖と茫然自失に閉じこもるどころか、ブテルジャは理解しようとして、激怒と怨みを政治的行動に変える手段を考え、それらを虚無主義的な盲目状態から引き離そうとした。ブシュロンのように、彼女はショックを受けて、人びとに語りかける私的な物語を書いた。しかし彼らの反応はそれぞれ互いにきわめて異なっている。歴史家は彼自身の無力感をむき出しにして閉じこもったままであるのに対して、若い活動家は恐怖と苦悩を理解と意識的参加の努力に変えようとしたのである。

☆29　Houria Bouteldja, « Mohamed Merah et moi », *Indigènes de la République*, 6 avril 2012.

文学的な使命を有するあらゆる歴史的物語にはモデルがある。この点で、模範的な作品のひとつで、多くの作者たちに真のパラダイムとして認められているのは、クロード・ランズマンの映画『ショア』（一九八五年）である。そのインパクトは大きかった。それは、ヨーロッパ・ユダヤ人虐殺の現代の表象を揺さぶり、公的領域でも社会科学においても、歴史と記憶の関係を変えたからである。また過去を歴史化する伝統的様式を大きく変え、歴史家の仕事場に犠牲者の一人称を導入した。重大な方法論的変化である。ここで問題なのは、この有名な九時間の映画を紹介して、大半が犠牲者であるユダヤ人のジェノサイドの当事者に発言権を与えるのではなく、それを涵養してきた歴史概念を観察し、このトラウマの体験者やそれを探索検討する者の主観性に新しい場を与えることである。題名自体――『ショア』はヘブライ語で「カタストロフ」を意味し、当時イスラエル以外では知られていない言葉であった――が、新しい対象、ナチの暴力に関する以前の映画すべてのものよりも複雑な対象を示しているのである。

ランズマンの映画のあと、集団絶滅は抽象的で捉えがたいカテゴリーではなくなり、現存在の肉体と精神に課された傷となった。社会科学によってこの歴史的経験を定義づけるために編み出された概念――ファシズム、全体主義、ジェノサイド、野蛮、絶滅、啓蒙の弁証法など――は、こうした証言、この重苦しい苦悩の積み重なりに対して虚ろなもののようになった。それこそが『ショア』の異論の余地なき力であり、無名の男女を匿名性から引き出して、われわれの歴史認識をひっくり返した大惨禍の中心に位置づけたのである。伝統的な直線状の歴史再構成ではなく、この映画は過去を、個々の人間生活の星座に基づいた人類学的な実験室として示している。確かに、これをユダヤ人の歴史の「涙の」表象の創始の契機と見なすことは間違いではなかろうが☆1、ただそれは、その概念という以上に映画をありのまま受容することからきている――そしてこれはまた、新しい主観的な歴史のいくつかの作品にも当てはまることである。

〔アウシュヴィッツを〕回顧するかたちで、『ショア(Shoah)』は西欧文化の記憶の出現において枢要な局面として現われた(その公開はヨゼフ・ハイーム・イエルシャルミ〔一九三二―二〇〇九〕『思い出せ!(Zakho)』、ピエール・ノラ『記憶の場』、プリーモ・レーヴィ『溺れるものと救われるもの』の出版と一致している☆2)。イエルシャルミが〔ユダヤ人〕解放の跡に従って、一九世紀のユダヤ人の歴史記述の出現をもっぱら集団の記憶に託された過去の伝達の終焉として研究しているのに対して、ランズマンは思い出を二〇世紀のユダヤ人の経験の中心に置き直している。ノラ

☆1 Esther Benbassa, *La souffrance comme identité*, Paris, Fayard, 2007.

☆2 Yosef Hayim Yerushalmi, *Zakhor. Histoire juive et mémoire juive*, Paris, Gallimard, coll. « Tel », 1991 [1984]; Pierre Nora (dir.), *Les lieux de mémoire*, t. 1, *La république*, Paris, Gallimard, coll. « Quatro », 1997 [1984]; Primo Levi, *Les naufragés et les rescapés. Quarante ans après Auschwitz*, Paris, Gallimard, coll. « Arcades », 1989.

がその歴史記述の企てをあらゆる伝達可能な経験の終焉という観念に基づかせているのに対して――「記憶の場」は「記憶の社会」が消えると出現する――、ランズマンは分散して断片的で、傷ついて沈黙し、絶滅寸前のこうした社会を捉えるか、或いはつくり出している。プリーモ・レーヴィが回顧的かつ内省的で批判的な記憶を紡ぎ出しているのと違って、ランズマンは観客の顔に「文字通りの」、「甦った」記憶、少なくとも外見上は証人の思い出のなかで無傷のまま残っている記憶を投げかけるのである。

『ショア』は二〇世紀に暴力とジェノサイドの時代という地位を与えることに大いに貢献した。これはわれわれがその被害者の情動世界に簡単に入り込み、その破壊された生の断片に触れることができる裂け目を開けてくれたが、過去の批判的な見方を理解するとか形成することの助けにはならなかった。実際、ランズマンはけっして理解しようとはしなかった。彼はアウシュヴィッツのSS監視兵から借用した「ここには何故はない(Hier ist kein warum)」[☆3]という決まり文句で要約できる認識論的な姿勢を要求したが、これはプリーモ・レーヴィが『これが人間か』(一九四七年)で語った決定的な宣告でもある。しかしレーヴィがそれをナチ収容所に漲っていた不条理の象徴的な証拠として引用したのとは違って、ランズマンは自己のものとして読み替え、国家社会主義に対して唯一有効な認識論的原則として述べたのである。アウシュヴィッツは自分にとって「ブラックホール」であると書いたあと、プリーモ・レーヴィはそれでもそ

☆3 Claude Lanzmann, « Hier ist kein warum » [1988], *La tombe du divin plongeur*, Paris, Gallimard, coll. « Folio », 2014, p. 489-490; Primo Levi, *Si c'est un homme*, Paris, Juillard, 1987, p. 38. を見よ。

こに入り込み、解明する試みにその生を捧げた。科学者で啓蒙思想の擁護者である彼は、この理解する努力を捨てることができなかったのである。

逆に、ランズマンはただホロコーストの測りがたく理解不能な性格を見るだけだったようである。彼の目には、理解する試みは「絶対的な猥雑さ」に属することだった。彼はこう書いている。「理解を試みないことは『ショア』を立案制作した全期間中ずっと私の鉄則だった。私は倫理的にして実践的な唯一可能な態度としてこの拒絶に支えられていた。この高いガード、この目隠し、この盲目状態が私にとっては、創作活動の根本的に重要な条件だったのである」[☆4]。その重々しさや簡潔さ──赤裸々な証言、飾り気のなさ（たとえときには入念に演出されていたにしても）──にもかかわらず、『ショア』は、ホロコーストの理解不能で表象不能な性格をめぐって、いち早く記憶のキッチュとして定まった、一〇年以上も続く、溢れんばかりのレトリックの端緒となった。逆説的に、証言の収集に基づいたランズマンの人類学的アプローチはエリ・ヴィーゼルの有名な誇張法、ナチのジェノサイドの歴史を超越した、つまりは底知れない形而上学的な性格を前提とする誇張法に繋がるのである。

ランズマンにとっては、ホロコーストは理解されることも解釈されることもできない。しかも記憶はそれをとどめている者の口元にマイクを置いて、簡単に捉えられるような対象ではない。ランズマンにとっては、被ったトラウマを同じ場所で甦らせてそれを現出しなくてはなら

☆4　Lanzmann, « Hier ist kein warum », *loc. cit.*, p. 489.

ない。この体験の伝達はあらゆる歴史的叙述を超越し、証言は一種の〔魂の〕再生再来を前提とする。ショシャーナ・フェルマン〔一九四二―、米の文芸評論家〕は、ランズマン自身の熱狂的な同意を得てこの考え方を理論化し、『ショア』を「生き証人による特異な解釈〔演劇的な意味での上演（enactment）〕」と定義づけたが、これは原初の（prima）I（ときには実際の、ときには再構成された）場面で行なわれるのだから、「それ自体歴史的真実の実現プロセスに不可欠なものとなる」[☆5]。ドミニック・ラカプラ〔一九三九―、米の歴史家〕がいみじくも指摘したごとく、そこでは精神分析の言う「行動化」し、トラウマを絶対化し神聖化して、その生成（perlaboration=Durcharbeitung〔推敲／検討すること〕を妨げる方式が問題となる。この場合、「再生」はいかなる「なぜ」にも答えず、「どのようにして」と言うにとどまり、いっさいの批判的な理解の努力を排するのである。[☆6]『ショア』は一連の対話集であり、一方にホロコーストの当事者、証人、犠牲者がおり、他方にランズマン――フェルマンが提示した定義によると、語り手、インタビュアー、調査者としての映像作家――がいて、贖罪者に変じ、この過去の再生プロセスの中心的人物となる。『歴史は現代文学である』において、ジャブロンカはランズマンの「盲目状態」、「表現することの拒絶」、「頑なに理解を試みないこと」を踏襲して、彼を自らの方法論的な「私」のモデルにする。[☆7]ジャブロンカのものに比べて、ランズマンの「私」はかなり禁欲的であるが――彼はけっして冷静さを失わないし、心の動きや感情を隠している――、ただ両者の場合、真実と物語の

☆5　Shoshana Felman, « In an Era of Testimony: Claude Lanzmann's *Shoah* », *Yale French Studies*, n°79, 1991, p. 58.

☆6　Dominick LaCapra, « Lanzmann's *Shoah*: "Here There Is no Why" », *Critical Inquiry*, vol. 23, n°2, hiver 1997, p. 231-269. を見よ。

☆7　Ivan Jablonka, *L'histoire est une littérature contemporaine. Manifeste pour les sciences sociales*, Paris, Seuil, coll. « Points », 2017, p. 214.

深い意味は、ランズマンが生者に語りかけ、ジャブロンカが死者と対話するにしても、調査者（映像作家と歴史家）と情報源（証人と記録資料）との共生的な関係を設定することによって把握されるのである。

漫画におけるランズマンの語りのモデルの同等物はアート・スピーゲルマン〔一九四八―〕の『マウス』〔小野耕世訳、晶文社〕☆8である。ナチが猫、ユダヤ人がネズミ、ポーランド人が豚になるホロコーストの動物のアレゴリーは世界的な成功を収めた。これはユダヤ人の絶滅の歴史ではなく、むしろ語り手の父でアウシュヴィッツの生残りヴラデックの証言録であり、一九七〇年代にクイーンズ区のヴラデックの家と、キャッツキル〔猫殺し〕山地（物語中でナチを体現する動物へのもうひとつの皮肉な暗示）のスピーゲルマン家の別荘で収集されたものである。父親の伝記にはめ込まれた作者の自伝である『マウス』は物語のなかの物語として展開されているが、この漫画は彼らの出会いや録音をもとにし、ときには疲労から、ときには仕事や日常生活の平凡な事故によって中断される証言などを描いているのである。

スピーゲルマンは父の死後この本を出版したが、思い出や個人的な資料、彼らの出会いの録音などから想を得ていた。だから彼の本はある人生と調査を語っており、作者はそこで父同様自らの姿をさらし、「ポストメモリー」をつくり上げ、父と、一九六八年自殺した母アンジャの喪としている。二つの時間性――語り手の作者と父のもの――がネズミの比喩的表象におい

☆8 Art Spiegelman, *Maus. Un survivant raconte*, t. 1, *Mon Père saigne l'histoire*, Paris, Flammarion, 1987; et t. 2, *Et c'est là que mes ennuis ont commencé*, Paris, Flammarion, 1992.

てたえず交錯している。このミメーシスはユダヤ人のネズミへの変貌を越えるものである。なぜなら、これはアートと父親の複雑な関係、感情移入的にして矛盾した絆も特徴づけており、同一性と他者性の解きがたい絶えざる緊張に刻印されているからである。[☆9] そのことは『マウス』の第二巻（一九九一年）で明らかにされており、そこでは作者が、人間的な顔つきをしているが、ネズミの仮面をかぶって横から描いているさまが見られる。「時は流れて」と題された章は物語の二つの時間性を結びつけている。「一九四四年春、ヴラデックはアウシュヴィッツで錫メッキ職人として働き始めた。〔……〕一九八七年二月末、私はこのページで働き始めた……」[☆10]。そしてもっと先ではこうある。「一九八七年五月、フランソワーズと私は子供の誕生を待っていた〔……〕一九四四年五月一六日と二四日のあいだ、十万人以上のハンガリー・ユダヤ人がアウシュヴィッツでガス毒殺された」[☆11]。そして彼はフランソワーズに子供としての悪夢を告白し、SSがユダヤ人の学童全員をさらっていく様子を思い描いている。ここで完璧な感情移入が彼を父に結びつける。「ときとして私は、両親が経験したことを実際に知るために、彼らといっしょにアウシュヴィッツにいたかったような気になる」[☆12]。この世界的に知られた漫画はもちろん『ショア』と同じ資格で、調査の自伝的物語に基づく叙述モデルの普及に貢献したのである。

☆9 Andreas Huyssen, « Of Mice and Mimesis: Reading Spiegelman with Adorno », *New German Critique*, n°81, automne 2000, p. 65-82. Max Horkheimer et Theodor W. Adorno, « Éléments de l'antisémitisme: limites de la raison », dans *La dialectique de la raison*, Paris, Gallimard, coll. « Bibliothèque des idées », 1974, p. 177-215. を見よ。アドルノとホルクハイマーのミメーシス概念の用法については、とくにAnson Rabinbach, *In the Shadow of Catastrophe: German Intellectuals between Apocalypse and Enlightenment*, Berkeley, University of California Press,1997. なかでも、第六章« The Cunning of Unreason: Mimesis and the Construction of Anti-Semitism in Horkheimer and Adorno's *Dialectic of Reason* », p. 166-197.

☆10 Spiegelman, *Maus*, t.

主観的な歴史記述は文学的であろうとするのだから、これが多くのロマネスクな同等物を見出し、そこからモデルを汲みとることはなにも驚くことではない。ジャブロンカ同様、セルジョ・ルツァットは最近の調査で、モデルの原型が、歴史分野のルールが定めることに反して、「適切に歴史記述的」という以上に「野心的に文学的」であることを認めている。[☆13] 彼の最新作で、偽の本好きで本泥棒のマリーノ・マッシモ・カーロを描いた『マックス・フォックス』は、偽のアナーキストの闘士でフロッセンビュルク強制収容所の偽の生残りエンリク・マルコ・バトリエに関するハビエル・セルカス〔一九六二―〕の『ペテン師』[☆14]を強く想起させるが、彼はまた『リモノフ』の作者エマニュエル・カレールも引用している。

しかしながら、主観的な歴史記述にとって、ほとんど規範的な基本モデルはやはりW・G・ゼーバルト〔一九四四―二〇〇一。一九六〇年代後半に英国移住。作品はすべてドイツ語表記〕である。その構成要素は既知のことだ。つまり、記憶や喪、メランコリーの遍在、物語への作者の直接的関与、物語装置としての調査、史料を繰り返し使用すること、とりわけ文中にたんなるイラストとか飾りではなく、基本的に重要な証拠として置かれた写真資料で、これはリズムと停止の瞬間を生み出して、過去が固定された不動のものとして現われるのである。『移民たち』〔一九九二年〔鈴木仁子訳、白水社〕〕、『土星の環』〔一九九五年〔鈴木仁子訳、白水社〕〕、『アウステルリッツ』〔二〇〇一年〔鈴木仁子訳、白水社〕〕において[☆15]、作者が実際に出会った人物に想を得た登場人物たちが具現する歴史は語り手の

2, *op. cit.*, p. 41.

☆11 *Ibid.*

☆12 *Ibid.*, p. 16. Rick Iadonisi, « Bleeding History and Owning His [Father's] Story: "Maus" and Collaborative Autobiography », *CEA Critic*, vol. 57, n°1, automne 1994, p. 41-56. を見よ。

☆13 Sergio Luzzatto, *Max Fox o le relazioni pericolose*, Turin, Einaudi, 2019, p. 250.

☆14 *Ibid.*; Javier Cercas, *L'imposteur*, Arles, Actes Sud, 2015; Emmanuel Carrère, *Limonov*, Paris, Gallimard, coll. « Folio », 2013 [2011].

☆15 W. G. Sebald, *Les émigrants*, Arles, Actes Sud, 1999; *Les anneaux de Saturne*, Paris, Actes Sud, coll. « Babek, 2012 [1999]; *Austerlitz*, Arles, Actes Sud, coll. « Babel », 2013 [2002].

記憶と交差し、ときには語り手自身の思い出話に長々と脱線するのである。〔ゼーバルト自身の〕亡命の道は、戦後の記憶喪失的なドイツの偽善と重苦しさを避けてイギリスに移住したドイツ人の歩みと混じり合う。ゼーバルトのエクリチュールは、過去の探索とあてどなく浮遊する瞑想的なアイデンティティの探求のあいだの稜線上をバランスを保ちながら進んでゆく。『移民たち』の主人公はみな亡命者でメランコリックなアウトサイダーである。彼らのうち二人は作者がマンチェスターで出会ったユダヤ人、ヘンリー・セルウィン博士とマックス・アウラッハである。三人目パウル・ブライターは、一九三〇年代に第三帝国の反ユダヤ人法のためにドイツから逃れねばならなかった教師である。四人目アンブロース・アーデルヴァルトは彼の叔父で、アメリカ合衆国に移住してニューヨーク州のイサカで死んだ。何人かの人物は虚構であるか、または実名では現われない。

ゼーバルトはそのテクストについて「散文のフィクション」だと言っていた。一方で、インタビューでは、彼の本に載った写真の九〇パーセントは本物であると断言している。[☆16] 他方、移民の肖像も本物である。なぜなら、彼らの歴史（物語）は出会いの語りにおいて展開されており、この出会いは語り手にとって彼自身について話し、読者に彼の生と歴史に関する彼自身の考察を伝える同じだけの機会となるからである。彼の小説で最も野心的な『アウステルリッツ』は別の亡命者の肖像、建築史家、植物学者で完璧な写真家のジャック・アウステルリッツ

☆16 Laura Martin, « Reading the Individual: The Ethics of Narration in the Works of W. G. Sebald as an Example for Comparative Literature », *Comparative Critical Studies*, vol. 11, n°1, 2014, p. 40. を見よ。

で、語り手がアントワープ駅で出会った人物である。アウステルリッツはピューリタン家庭で厳格な教育を受けて育ったが、イギリスへは一九三九年、ドイツ軍侵攻のさいにチェコスロヴァキアを離れた最後のユダヤ人の子供たちといっしょに来たのである。『移民たち』同様、『アウステルリッツ』は調査物語であり、そこでは語り手が解明しようとする生の物語が、現実とフィクション、過去と現在がたえずもつれ絡み合うなかで、彼自身の生の物語に混じるのである。

マーク・アンダーソンがいみじくも指摘したごとく、ゼーバルトとランズマンには驚くべき対照がある。二人は、そのスタイルが反対であるにもかかわらず、対話者に語らせているからである。ランズマンはこれ見よがしの権威的で圧倒するような存在感で、ゼーバルトは控え目な調査者、聴き手の慎みある人物として登場している。[☆17] この慎み深さはゼーバルトが一九四四年にドイツで生まれたことからきている。彼のドイツ性、つまりドイツ人であることが彼に祖国を離れさせた「罪責感」の源泉である。彼はそれを内部から彼を蝕む毒素のように感じているが、それはまた彼の本の地下のエンジン（原動力）ともなっている（『目眩まし』の「祖国への回帰」のようないくつかの例外を除いて、それはごく稀にしか言語化されないが[☆18]）。この慎み深さは作者とその登場人物の奇妙な共生関係を生み出している。『移民たち』において、ファーバーはドイツを語り手のものと繋がる迫真的な言葉で描いているが、二人の男は祖国を逃れて、それに対して一種の不可思議な説明できない恐怖を感じながらも、これが時が経って

☆17　Mark M. Anderson, « The Edge of Darkness: On W. G. Sebald », *October*, n°106, automne 2003, p. 102-121.

☆18　W. G. Sebald, *Vertiges*, Paris, Actes Sud, 2001.

も和らがないのである。

過去も未来も存在しない。ともかく私にとっては存在しないのだ。そのイメージが私にとり憑いている断片的思い出には、オブセッショナルな側面がある。ドイツのことを考えると、祖国が私の精神にはなにか狂気じみたものとして立ち現われる。私がけっして帰国しないのは、おそらくこの狂気が確認されることを恐れてなのだ。ドイツが、これは知っておいてもらわねばならないが、私には後退したまま破壊された、いわばオフショアの国、顔つきは素晴らしいがまだ〝生煮え〟のような人びとが住んでいる国のように思えてくるのだ。☆19

ファーバーの長い独白は、ゼーバルトを彼自身の国に結びつける苦渋に満ちた関係に思い悩む、彼の思考へと変貌する。登場人物と作者の境界がもつれてくる。前者の生を語りながら――或いはむしろ彼の生を語らせながら――、後者は自らについてわれわれに話すのである。二一世紀の転換期に、ゼーバルトは歴史と文学の関係を変えて、過去と現在を交差させる新しい形の主観的なエクリチュールを創出した。この創始の区切りが他の語り手たちに道を拓くことになったのである。

☆19　Sebald, *Les émigrants*, *op. cit.*, p. 212-213.

ここでゼーバルトのほかに、過去に関する調査に文学的な形を与える他の二人の作家にも触れなくてはなるまい。パトリック・モディアノ〔一九四五―、二〇一四、ノーベル文学賞受賞〕とダニエル・メンデルゾーン〔一九六〇―〕である。『ドーラ・ブリュデール』〔『一九四一年。パリの尋ね人』白井成雄訳、作品社〕(一九九七年)にロマネスクなフィクションはなく、これは実在したユダヤ人少女に関してモディアノが行なった調査を語る「小説」で、彼が古い新聞を基にその足跡をたどっている。[☆20] この本は忘れられた名もなき、特異な生を再構成し、作者の記憶に同化している。失踪したばかりのドーラの両親が、一九四一年一二月三一日付の『フランス・ソワール』に出した数行の尋ね人広告が、五〇年後、語り手に歴史的悲劇と重なる束の間のある生の歩みを描かせることになる。失踪した娘は両親同様、アウシュヴィッツに強制収容され、殺害されたのである。この打ち砕かれた存在が作者の記憶の想念において姿を取り戻し、現実の場から成る都市風景のなかに突然現われる。すなわち、街路や大通り、建物、モディアノの子供時代の街である。[☆21] 作者はまずパリ一二区の戸籍課で、次に裁判所、最後にドーラが最初の失踪後に入れられたサン・クール・ド・マリーの寄宿学校と、わかっている彼女の最後の住まいとなったトゥーレルの寄宿舎の資料室で調査を行なった。作者はまたドーラの学校の記録簿も調べ、さらに占領下にヴィシー当局が設立した〔反ユダヤ主義の〕ユダヤ人団体、フランス・イスラエリット総同盟の古文書

☆20 Patrick Modiano, *Dora Bruder*, Paris, Gallimard, coll. « Blanche », 1997.

☆21 Susan Weiner, « Dora Bruder and the Longue Durée », *Studies in 20th and 21st Century Literature*, vol. 31, n°2, été 2007, p. 403-414.

室で彼女の足跡を見出すことにも成功しているが、この資料集はニューヨークのイィヴォ・インスティテュート[★1]に保管されている。

モディアノにとって、ドーラ・ブリュデールは幾分、彼女同様、彼が会ったこともない失踪した少女である彼の姉のようだった。この少女の有為転変は彼に姉のそれを思い出させ、自然発生の即興的な感情移入を引き起こした。

私は一九六〇年一月、自分の失踪（家出劇）のさいに覚えた強烈な印象を思い出した——あまりに強烈で、滅多に味わったことのないと思うほどだった。それは一挙にあらゆる絆を断ち切る陶酔感だった。つまり、課された規律、寄宿学校、教師、級友などと突然意図的に断絶することである。以後、この人びととももうなんの関係もなくなる。愛してもくれず、なんの頼りにもならないと思っていた両親との断絶。灼熱となって燃え上がり、息の根をとめ、無重力状態に陥れる孤独感と反抗心。［……］私はドーラ・ブリュデールのことを考える。そして彼女の失踪は、二〇年ほどすると、無害な世界に戻った私のものほど単純ではなかったことがわかる。一九四一年一二月のこの町、灯火管制、兵士たち、警察などすべてが彼女に敵対し、その破滅を願っていたのだ。一六歳で、彼女は訳もわからずに世界全体を敵に回してしまったのである。[☆22]

★1　ユダヤ調査研究所。前身は一九二五年、ポーランド領だったころのヴィルノ（リトアニアのヴィリニュス）で設立されたイディッシュ科学研究所。

☆22　Modiano, *Dora Bruder, op. cit.*, p. 77-78.

この少女の波瀾の出来事によって引き起こされた思い出を越えて、モディアノは知りたいという欲求に捉われた。彼はドーラ・ブリュデールの肖像を描き、忘却の世界から引き出し、彼女のはかない存在の数瞬間を捉えてその足跡を明るみに出したいと思ったのだ。この意味において、スーザン・R・スレイマンはこの物語に「感情移入的な自己同一化」の好例を見出したのである。つまり、自己に充当化（appropriation）〔または読み替える、置き換えること〕するのではなく、真の他者認識の営為を生み出す親和力である。☆23 ドーラ・ブリュデールの運命は数年前からモディアノにとり憑いていた。なぜなら、『パリ・ソワール』が載せた小さな広告はすでに彼の前の小説『新婚旅行』（一九九〇年）に想を与えていたからだが、ただそこでは若い娘の名前は変えられて、純粋に架空の物語に組み込まれている。☆24 逆に、『ドーラ・ブリュデール』は源泉となる事実の台座から離れようとはしなかった。そこから、現実に根ざして忠実であるにもかかわらず、消えたものを救いたいという欲求から生じる歴史観が生まれるのである。過去を暴くのではなく、情報源――記録資料、古文書類、司法用語でいう「証拠物件」など――によって、そこに近づくことができる。情報源とは残存し、残留した物、出来事の断片などであり、これらを使って風景を再構成し、もう存在しない物体に形を与えるのである。この小説における調査の位置と作者の登場人物に対する感情移入もまた、ここで問題となっている歴史〔記述〕の主観

☆23 Susan R. Suleiman, « "Oneself as Another": Identification and Mourning in Patrick Modiano's Dora Bruder », *Studies in 20th & 21st Century Literature*, vol. 31, n°2, été 2007, p. 325-350. を見よ。彼女はポール・リクールが創出した「感情移入的自己同一化 identification empathique」の概念を参考にしている。*Soi-même comme un autre*, Paris, Seuil, coll. « L'ordre philosophique », 1990.

☆24 Patrick Modiano, *Voyage de noces*, Paris, Gallimard, coll. « Blanche », 1990, p. 153. この二つの作品の比較としては、以下参照。Claude-Pierre Pérez, « Imaginer sur pièces. Imagination et documentation chez Patrick Boucheron et Patrick Modiano », *Littérature*, vol. 190, n°2, 2018, p. 106; とくに Michaël Sheringham, « Le dispositif *Voyage de noces*-

的転換点を予告し、準備することになる。

ダニエル・メンデルゾーンの『行方不明者』(二〇〇六年)もまた、語の厳密な意味における小説ではない。家族史と作者の祖父の兄シュミール・イェーガーの生に関する調査物語である。☆25 肉屋専門の大叔父はハプスブルク帝国の小さな町ボレヒフ(現在ウクライナ)★2で生まれ、妻と誰からも美貌を称賛された四人の娘たちとそこに住んでいた。ニューヨークで家族の集まりがあったさい、外観が大叔父に似ている言われたことに興味そそられて、メンデルゾーンは古文書を調べて、家族の過去を再構成すべくホロコーストで生き残った何人かのボレヒフのユダヤ人を訪ねて、オーストラリア、デンマーク、スウェーデン、イスラエルに行った。そして最後は、ボレヒフそのものに行って、大叔父が暮らしていた家を見つけたが、そこは一九四一年一〇月、大叔父が機動特務部隊(Einsatzgruppen)(移動殺戮部隊)に捕らえられて、殺害された所だった。

ジャブロンカの本同様、『行方不明者』にも写真が挿入されているが、メンデルゾーンは調査を描いたあと、本を執筆中ずっと念頭にあった一連の疑問を読者と共有している。つまり、家族の歴史をどう再構成するのか、とくにそれをどう語るのか?「どのようにして語り手になるのか?」。メンデルゾーンにとって、これが「彼の世代が対決させられる真の問題である」☆26。それゆえ、戦後に生まれた者の伝達、ポストメモリーが問題となり、それに答えるために、作

Dora Bruder », dans Roger-Yves Roche (dir.), *Lectures de Modiano*, Nantes, Cécile Defaut, 2009, p. 251.

☆25 Daniel Mendelsohn, *Les disparus*, Paris, Flammarion, 2007.

★2 かつては大きなユダヤ人共同体があった。

☆26 *Ibid.*, p. 781.

者はもうひとつの問題、「歴史をどう語るのか？」、歴史と文学の関係の問題に対決しなくてはならなかった。『行方不明者』の最後の注釈で、メンデルゾーンは次のことを明確にする必要があると判断している。「この本で語られたことは真実である。正式なインタビューはすべてビデオで録画されており、他のほとんどすべての会話も、電話でのものを含めて、作者によって録音されるか、この会話のあいだに作者がとったメモをもとにして再構成されている」[☆27]。一般に、そのような真実性への懸念は調査者や歴史家の作業を特徴づけるもので、小説家のものではない。しかし以後は、彼らはみな同じような方法に従っているのである。

☆27　*Ibid.*, p. 913.

第7章　歴史とフィクション

歴史的小説は、二〇〇一年にゼーバルトが突然死去して数年後、新しい黄金時代を迎えるが、すでにウンベルト・エーコ〔一九三二―二〇一六〕の『薔薇の名前』〔一九八〇年〔河島英昭訳、東京創元社〕〕[☆1]のような文学的創造がこの新しい波の本質的構成要素を集めていた。つまり、広範な資料収集と、推理小説の筋立てならぬ調査形式での展開である。中世の修道院生活と文化に関する驚異的な学殖博識に育まれた神学論争から薬草論までの論述や、バスカヴィルのウィリアムが文字通り一九世紀のシャーロック・ホームズとなって、語り手の見習い修道士メルクのアドソに補佐されてピエモンテのベネディクト派修道院で調査を行なって展開する論理的推論。これらは、文学的準拠（とくにホルヘ・ルイス・ボルヘスの「バベルの図書館」）にも、一九七〇年代のイタリアを反映する政治的準拠（宗教裁判所の司教と、ドルチーノ派の異端〔一四世紀〕として描かれた議院外左翼の革命派が体現した正統共産主義の支持者）にも溢れている。しかしながら、エーコによって予示された文学的現象が広がりをもったのは二〇〇〇年代からである。

　この歴史的小説の復活の発端には、おそらく二〇世紀を現在から過去――爾後は歴史化され

☆1　Umberto Eco, *Le nom de la rose*, Paris, Le livre de poche, 2002 [1982]. とくに以下参照：Alessandra Fagioli, « Il romanziere e lo storico. Intervista a Umberto Eco », *Lettera internazionale*, n°75, 2003.

る終わった過去――へ揺るがせて、個人と集団の記憶にこれまでにない深まりをもたらした時代の変化がある。しかしまた当時の支配的な歴史記述的言説に対する不満もあった。過ぎ去ったばかりの世紀は、歴史家の「麻酔をかける」作業に委ねるにはあまりに熱情や情動、苦悩が詰まり過ぎている。これはまた別なアプローチを要求しており、そのなかに文学があったのだ。おそらく長期にわたる疲弊に助長されたあと、言語そのものからあらゆる題材を汲みとる文学の力を前提とするヌヴォー・ロマンが支配的になり、作家たちの現実回帰がフランスに特権的な場を見出し、そこで彼ら作家たちがときには歴史的小説を見直し、ときには歴史と文学を混淆して新しいハイブリッドな形を探究したのである。しかしながら、この現象はあらゆる言語とあらゆる時代にも関係するものである。

国際的なベストセラーもある、この復活した歴史的小説の多くの作品がナチズム、第二次世界大戦、ユダヤ人のジェノサイドを扱っている。それらは、本書の枠内では、新しい主観的な歴史記述と密接な関係にあるためにとくに注目に値する。こうした小説の最も有名なのはおそらくジョナサン・リテル（一九六七―）の『慈しみの女神たち』★1（二〇〇六年〔菅野昭正ほか訳、集英社〕）であろう。☆2 東部戦線でナチの犯罪に巻き込まれた元SS将校マクシミリアン・アウエの回想録として構成されたこの小説は、八〇〇ページ以上にわたって、戦争とホロコーストのほぼすべてのきわめて重要な局面、すなわちバビ・ヤールからスターリングラード、マイダネクからソビブ

★1　この邦訳名の原題は Bienveillantes で直訳すれば「親切な人びと（女性形）」、英訳は The Kindly Ones（優しい人びと）である。

☆2　Jonathan Littell, *Les Bienveillantes*, Paris, Gallimard, coll. « Blanche », 2006.

ルまでを描きだし、ナチ高官、将校、医師、法律家、第三帝国の強制収容所長など信じ難い人間ギャラリーを登場させている。『慈しみの女神たち』の三年後、ヤニック・エネル〔一九六七―〕は『ヤン・カルスキ』〔邦訳名『ユダヤ人大虐殺の証人ヤン・カルスキ』飛幡祐規訳、河出書房新社〕を出版したが、これは亡命ポーランド政府の通信員、いわば公文帯行使の肖像で、彼は戦争中ワルシャワ・ゲットーを訪ね、その後、ローズベルト大統領と会ったさい、連合軍にポーランドのユダヤ人絶滅を通報している。☆3

スペインでは、二〇年ほど前から、内戦とその後遺症に集中したロマネスクな波が押し寄せている。その主たる代表はハビエル・セルカスで、彼はフランコ主義の歴史に結びつくジレンマや情念、参戦と後悔、抑圧と記憶などを徹底的に分析している。歴史的小説の作者と呼ばれるのを拒否して、セルカスはむしろ同時代人の記憶に過去が現前することの研究に関心をもつ作家として自己を呈示する。☆4 ドイツでは、有名な批評家、エッセイストのハンス・マグヌス・エンツェンスベルガー〔一九二一―〕が、一九三四年、ヒトラーに反対して辞任した国防軍将軍クルト・フォン・ハマーシュタインに比類なき作品を捧げている。『がんこなハマーシュタイン』は小説でも――作者はこの呼び名では出版しようとしなかった――、厳密に言って伝記でもない。なぜなら、ハマーシュタインの生の語りは当時の関係者たちとの「死後の会話」と、その歴史的光景のさまざまな次元、つまり、プロイセンの貴族階級、ヴァイマルの危機、国家社会

☆3 Yannick Haenel, *Jan Karski*, Paris, Gallimard, coll. « L'Infini », 2009.

☆4 Javier Cercas, *Les soldats de Salamine*, Paris, Le livre de poche, 2005 [2002]; *Le monarque des ombres*, Arles, Actes Sud, 2018.

主義の出現などの理解を深め、解釈する「注釈」で豊かになるからである。そこから作品の副題「あるドイツ史」が出てくるのである。[☆5]

最近は、歴史的小説がイタリアでも回帰し、アントニオ・スクラッティ〔一九六九―〕のムッソリーニの架空の伝記『M・時代の子』（二〇一八年）で結節点を迎えた。予定された三巻のうち第一巻がイタリアの最も格調の高い文学賞を受けたが、これは首領Duceがその運動を創始した一九一九年とファシズムが政治体制に変化した一九二五年のあいだのドゥーチェの生を語っている。[☆6]

こうした作品すべては物語る出来事の歴史性と、しばしばもっともらしい肖像をつくり上げて描く登場人物の歴史性を入念綿密に尊重している。それらは堅固な歴史的知識と、ときには原史料や古文書類が活用されたものにさえ基づいている。スクラッティは小説の冒頭でそれを明確化しようとする。「このドキュメンタリーふうの小説の事実や人物は作者の想像力から生じたものではない。それどころか、ここで語られるそれぞれの出来事、人物、対話や演説は歴史的に資料の裏づけがあり、そして／あるいはひとつならずの情報源によって口頭でも証明されている。そうは言っても、歴史は現実がそれ自体の資料をもたらして寄与する作りごとであることに変わりはない。ただし、作り出すことは恣意的なものではない[☆7]」。

ジョナサン・リテルは九〇〇ページの小説全般にわたって国家社会主義に関する知識を繰り

☆5　Hans Magnus Enzensberger, *Hammerstein ou l'intransigeance. Une histoire allemande*, Paris, Gallimard, coll. « Folio », 2011.

☆6　Antonio Scurati, *M. Il figlio del secolo*, Milan, Bompiani, 2018.

☆7　*Ibid.*, p. 4.

広げて見せる。それは本の冒頭から始まり、彼は歴史的研究が制定したきわめて信頼できる推計値を基にして、一九四一年六月二二日と一九四五年五月八日のあいだのドイツ人、ユダヤ人、ソ連人の死者数を時間・分・秒単位で決定するための計算を始めている。[☆8] 一九四三年一〇月、ポズナニでヒムラーがした有名な演説、ユダヤ人絶滅を国家社会主義の道徳的優越性として提示したSSの全国指導者の演説について長々と記述しながら、彼は語り手の口を借りて、原史料に対するマニアックまでの精確さにこだわった釈明さえも辞さない。「一〇月四日の演説全体がニュルンベルク大訴訟のプロトコルに1919―PSのコード番号で載っている。［……］もっともこれはレコードにしろ、酸化鉄磁気テープにしろ、録音されているが、歴史家の見解は一致していないし、この点についても、私も解明できない」。[☆9]『慈しみの女神たち』の主人公マクシミリアン・アウエの語る出来事はナチの残虐行為の完璧な一覧表だが、彼は純粋に架空の存在であり、それはヤニック・エネル、レオナルド・パドゥーラ〔一九五五―、キューバの作家〕、アントニオ・スクラッティなどが登場人物たちを置く多くの状況も同じように架空である。例えば、母親から道徳的・政治的な影響を受けたローズベルト大統領が女性秘書ラモン・メルカデルの脚を横目で見る様子、またムッソリーニが愛人で助言者のマルゲリータ・サルファッティと休むミラノのホテルの一室のエロティスムに満ちた雰囲気がそうである。[☆10]

歴史家ジャブロンカがその著作で自分ではけっしてしないと言っているのは、まさにこの種

☆8　Littell, *Les Bienveillantes*, *op. cit.*, p. 21-22.

☆9　*Ibid.*, p. 611. この小説のすべての批評家が、最も厳しい者でも、資料収集の豊かさを認めている。この本の力はその「巧みな組合せ」と「歴史とフィクションの稀に見る結合」からきていると指摘しながら、アントワーヌ・コンパニョンはリテルが再構成した歴史的背景の精確さを強調している。「私はメディアが報じたから無視しなかったのではないが、やはりそこにすべてかほとんど、つまり、名前、事実、発言などすべてがあることを確認して驚いた。人物が作られていると思われるかもしれないが、違う。リテルは彼らがしたことをさせ、言ったことを言わしめている」。Antoine Compagnon, « Nazisme, histoire et féérie: retour sur Les Bienveillantes », Critique, n°726,

の物語の脱線である。一九四三年二月二五日の朝、パリの〔アーケード街〕ウパトリア小路一七番地で起きた祖父母の逮捕を語っても、彼は厳密な事実の説明にとどめている。「私は階段の足音やドアを乱打する音、不意に目を覚ますことなどを描き出すこともできるかもしれない」、と彼は書いているが、ただ彼はその語りが「仮説や推論が最悪の場合でも、証拠に基づき、疑いの余地がない」ようにしている。彼はそれを歴史家の「倫理的契約」と呼んでいるが、これは結局、「その不確実な部分を物語全体の一部を成すものとして認めると同時に、たとえ想像力が空白を見事に満たすとしても、その安易さを退けること」[☆11]であらねばならない。しかしながら、もっとあとで、祖父母の終焉に言及するとき、ジャブロンカは前には自らに禁じたことを今度は認めているのである。「マテスは安息日の晩、母がパンを焼き、父が繻子のカフタン〔丈の長いコート状の盛装用の上着〕を纏い、厳かに輝き放ちながら雅歌を唱える姿を思い浮かべる。〔……〕マテスはオパール色の月を眺めている。月は恐ろしいほどに美しく赤茶けて、この消える定めの虫けらたちのざわめきにも無縁である。マテスはその精神が、幻影でひび割れて、分解するのを感じる。もはやこの世には自由な人間などいないのだ」[☆12]。結局は、文学的な語りの要求が歴史家の固執した「倫理的契約」に勝り、彼が歴史を「文学化」しようとする限りは現実から自由になれない、と彼は述べている。

対照的に、ローラン・ビネ〔一九七二―〕は同じ問題を作家の視点で考察している。〔SS保安部SD

novembre 2007, p. 881-896.

☆10　エネルとスクラッティのほかに、Leonardo Padura, *L'homme qui aimait les chiens*, Paris, Métailié, coll. « Bibliothèque hispano-américaine », 2011. を見よ。

☆11　Ivan Jablonka, *Histoire des grands-parents que je n'ai pas eus*, Paris, Seuil, coll. « Points », 2013, p. 267.

☆12　*Ibid.*, p. 361.

の長〕ハイドリヒに対するチェコ・レジスタンスのテロに関する小説の作者である彼は、たとえ歴史的小説が多かれ少なかれ事実を尊重しているとしても、「とにかくフィクションが歴史に勝る」[☆13]のだから、いつも不満に思うと言っている。彼は、歴史的物語であり、また同時に彼が自己自身を語る「個人的な問題」[☆14][★2]であっても、別なことを書きたいという。その答えとなるのが、彼が「インフラ小説（infra-roman）」と呼ぶもので、この接頭辞infra（下）は、彼が状況に合わせて見事に筋立てるハイドリヒへのテロと、語り手、すなわち、たんに調査を語るだけでなく、歴史と文学に関する考察と、過去への自らのアプローチも述べている彼自身との関係性を示しているという。彼の同棲者ナターシャから物語をつくり出していると非難されると、彼は苛立つが、それは彼がつねに「ロマネスクな作り物の稚戯めいて滑稽な性格」を告発しているからだが、それでも結局、彼は文章を変えない。つまり、ヒムラーがテロによるハイドリヒの死を知ると、「彼は頬に血がのぼり、頭蓋骨のなかで脳が膨れ上がるのを感じた」[☆15]というのである。彼の小説は、そのひとつが『ＨＨｈＨ』[★3]（Himmlers Hirn heißt Heydrich）〔ヒムラーの脳はハイドリヒと称する〕と題されているのだから。もっとあとになると、ビネは歴史と文学は互いに溶け込むことはできないことを認めざるを得なくなる。以下のごとく、彼はそう認めている。「これは前もって負けた闘いだ。私はこの歴史を実際にそうあるべきようには語れない。この雑然とした堆積の人物、出来事、日付けや、果てしなき樹木状の因果関係、これらの人びと、生活、行為、

☆13　Laurent Binet, *HHhH*, Paris, Grasset, 2010, p. 29.

☆14　*Ibid.*, p. 327.

★2　「インフラ小説」とは、作者ローラン・ビネがあるインタビューで答えたところによると、「このジャンルの基礎であるフィクションを除いて、小説が手にするあらゆるテクニックや方法を用いた物語である」。トラヴェルソの解釈では、このインフラ小説という表現は、ビネがその小説を「いくつかの物語、つまりハイドリヒに対するテロ、彼の調査物語、彼自身のエクリチュールの物語の十字路のように見ている」ことを示すという。

☆15　*Ibid.*, p. 176-178.

★3　この小説『ＨＨｈＨ』の邦題は『ＨＨｈＨプラハ、一九四二年』高橋啓訳、東京創元社。二〇一七年には映画化されている（邦題名『ナチス第三の男』）。

思想をもって実際に存在したこれらの人びとすべてに、私はその一面にかろうじて触れただけだ［……］私はたえずこの歴史の壁にぶつかるが、その上には、愕然とさせられる因果関係のキズタがとどまることなく、ますます高くますます密生して這いあがり、広がっているのである[☆16]」。

それゆえ、『ＨＨｈＨ』は小説である。クリスティーヌ・バーバリッチはこれを「ポストモダンの歴史記述的メタフィクションの完璧な例[☆17]」とさえ定義づけている。『私にはいなかった祖父母の歴史』は、出版社がカバーで「調査」と紹介しているが、ディテールやイメージ、喚起力のある状況、感動場面などが豊富にあり、まさに潤いのない超然とした物語とは正反対であっても、それらはこの著作が基礎を置いている生の素材の介在なしでは出現しない。それは語り手と、その歴史という生地を練り上げる能力からきており、潤色するとか汚すとかするのでなく、歴史家の客観的で超然とした語りを超えてゆくものなのである。

ジャブロンカとメンデルゾーンという二人の作者のポストメモリーの家族調査は、スペイン内戦を再読解した新しい作品であるハビエル・セルカスの『影の帝王』（二〇一七年）と際立った対照を示している。『サラミネの兵士たち』は一五年ほど前、彼がヨーロッパ文学界で認知された小説だが、それと違って、この新しい物語はそのようなものとしては自認しない小説である。それは彼の叔父マヌエル・メナの短い人生の再構成であり、セルカス同様、叔父はエスト

☆16 *Ibid.*, p. 243.

☆17 Christine Berberich, "'I think I'm beginning to understand. What I'm writing is an *infranovel*': Laurent Binet, *HHhH* and the problem of "writing history"", *Holocaust Studies*, 21 mai 2018, p. 6.

レマドゥラ州の小さな町イバエルナンドで生まれ、一九三六年、一七歳でフランコ軍に志願し、二年後、エブロ河の戦いで戦死した。マヌエル・メナの肖像はセルカス家では特別席を占めており、作家は叔父を「救済し」、この肖像の冷たい無名の世界から引き出し、生命を取り戻してやり、その生を復元しようと決心して、その歩みを可能な限り厳密に正しく描いた。それゆえ彼は私文書類、次いで町と軍隊の古文書館での探索に没頭し、またマヌエル・メナを知っている最後の生存者たちとも会った。調査を行なうため、セルカスは小説家ではなく、歴史家の衣を纏うことを余儀なくされた。彼の本は、叙述のさまざまな水準によって、同時に一人称と三人称で書かれている。調査と家族関係を語るときは一人称の語り、そして語り手として叔父の生と時代を再構成するときは三人称の記述だが、しかしまた彼が自らをこの家族絵図の一片として彼自身について語るときも三人称である。メンデルゾーンやジャブロンカ同様、セルカスはこの方法を説明している。

私はマヌエル・メナの歴史を語るには、私自身の歴史も語らねばならないと考えた。換言すれば、マヌエル・メナに関する本を書くには、自分を二分しなければならないと考えたのである。一方では、歴史家がするように、超然として距離を置き、真実性を配慮して語り、厳密に事実だけにとどめ、あたかも私が本来の自分でないかのごとく、文学の伝承や想像力、自由を無視する。しかし他方では、私はある歴史ではなく、ある歴史の歴史を語る、すなわち、どのようにしてまたなぜ、私がマヌエル・メナの歴史を語るに至ったかという歴史を語らねばならなかったのである。☆18

かくして、セルカスは、未知の祖先の亡霊たちと闘ったメンデルゾーンやジャブロンカとまったく同様に、叔父、「彼にはいなかった」未知の叔父の足跡をたどることになる。彼の本はジャブロンカが「調査する私」と呼んだもの――彼は「ある歴史の歴史」を語っている――、またギンズブルグが「状況証拠のパラダイム」と称したもの――彼はときおり自らを「犯罪の舞台をめぐる探偵☆19」になぞらえている――の好例証である。マテスとイデス、シュミール・イェーガー、さらにはマックスとフルマ・マゾワーにとってと同様、セルカスの本は一種のマヌエル・メナの贖罪の書である。本の末尾で、見事な白い軍服姿で写真に写った若き下士官は理想や願望、幻想や失望も備えた生身の人間存在に戻っている。要するに、彼は個々人の固有な人生を経た人間に戻ったのであり、もはや「ぼやけて漠然としたシルエット、また彫像のように固くて冷たい抽象的なシルエットでもなく、人気のない家の埃まみれの物置の埃だらけの沈黙に追いやられた肖像にまつわる家族の禁忌の伝説でもない☆20」。彼は家族の英雄でも恥でも――彼の母の英雄でフランコ派の過去をもつ家族の恥でも――なくなり、より具体的な相貌、

☆18 Cercas, *Le monarque des ombres*, *op. cit.*, p. 305.
☆19 *Ibid.*, p. 167.
☆20 *Ibid.*, p. 248.

すなわち「素朴で勇敢だが、理想に裏切られた若者、なぜ戦っているのかわからず、無関係なものになった戦争で倒れた兵士」の相貌を帯びるようになった。セルカスの物語がパトスで充満するのはその瞬間である。つまり、「そのときに私は彼を生きているのだ[☆21]」。ジークフリート・クラカウアーの有名な評論にある語句を引用すると、マヌエル・メナのイメージは「解放されない幽霊の現実[☆22]」ではなくなったと言えるかもしれない。

たとえセルカスの作品がフランコ主義の復権としては示されないにしても、少なくとも若きフランコ派マヌエル・メナの復権である。抒情をこめて、セルカスはスペイン・ファランヘ党員であった若き叔父をアキレスにたとえて、彼に神話的な英雄の地位を授けている。なかんずく彼の結論は興味深いが、それは、これが犠牲者とではなく、むしろ迫害者、悪い方の陣営を選んだ者との感情移入的自己同一化を感じる「方法としての私」の両義性を暴くからである。それゆえ、『影の帝王』の政治的両義性は作家の情動的な「私」に深く結びついている。ジャブロンカとセルカスによって行なわれた転移はさまざまな対象に向かうが、彼らの結論はかなり近い。つまり、歴史はその当事者が還元不能なまでに固有な主体である人間悲劇である。歴史的にして文学的な野心を隠さない二つの論稿において、彼らはヒーローたちを匿名性から引き出して人間化するが、ジャブロンカが忘れられた犠牲者に顔と声を戻してやるのに対して、セルカスはファランヘ派を犠牲者にして、結局はこれを敵よりよくも悪くもない人間存在に変

☆21 *Ibid.*
☆22 Siegfried Kracauer, « La photographie » [1927], dans *L'ornement de la masse. Essais sur la modernité weimarienne*, Paris, La Découverte, coll. « Théorie critique », 2008, p. 44.

えしまう。

内戦は悲劇的な兄弟殺しの戦争であるが、一九三六―一九三九年のスペインを血まみれにした内戦において、結局のところ、共和派とフランコ派は立場が交換可能であった。それはセルカスが最初の成功作である『サラミネの兵士たち』ですでに示した賢明さである。彼はそこで、内戦末期、フランス―スペイン国境のコリウルにおける共和派詩人アントニオ・マチャドの死と、同時期に、ファランヘ党の創立者のひとりで民族主義者のイデオローグにして詩人のラファエル・サンチェス・マサスの失敗した処刑との驚くべき等価性を明らかにした。しかしながら、二つの本にはたんなるニュアンスを越えた違いがある。『サラミネの兵士たち』においては、人間性がミラレスによって体現されているが、この若き共和派戦士は退却中の興奮状態時に、憐れみを覚えて、本当の身分も知らないままサンチェス・マサスの命に手加減を加えたが、それに対して『影の帝王』では、この人間性がマヌエル・メナ、すなわちファランヘ党員自身に移っているのである。

ジャブロンカが〔幼少時〕祖父母に手紙を書いて、彼らを「ぼくの大好きな神さま」と呼ぶのに対して、セルカスは瀕死の叔父との対話を想像して、その名誉と記憶を救済すると約束し、その死が無駄ではなく、尊厳ある英雄的なものだったことを説得しようとした。彼が信じた大義は誤りだったが、それでも彼の参戦は正当なものだった。ギリシア神話におけるように、彼の死は「立派な死であり〔……〕、完璧な生の掉尾を飾る完璧な死だった」☆23。

多くの批評家が指摘したように、セルカスは、フランコ死後の民主的な移行期のいわゆる記憶の穴を何度も再検討することによって、結局は共和国とフランコ主義、ファシズムと反ファシズムのあいだに一種の「等距離」を採択した作家世代の象徴的な代表である。ところで、「中立的な」方法論的姿勢であるどころか、感情移入は政治的な選択を前提とする☆24。ナチの虐殺を一人称の語りで描きながら、ジョナサン・リテルは読者を惑わす曖昧な姿勢をとっている――ドミニック・ラカプラによると、彼は「死刑執行人と犠牲者を混同するか、または逆にする」☆25傾向がある――が、だが戦争中のマックス・アウエの蛮行の有為転変はいかなる自己満足的なものも表わさないのに対して、セルカスによるマヌエル・メナの復権は歴史的・政治的な視線、この場合は弁護論的な視線に変わってしまう自己同一化の結果である。

スペインの歴史家フスト・セルナ〔一九五九―〕との対話において、セルカスは、実際には、彼の調査は本で主張したように、歴史家のほど客観的ではなかったことを認めている。小説に仕立て上げるには、ごくわずかな創出物を加えれば十分である、と彼は述べている。それは、「一杯のグラスの中の一滴の毒のように」☆26、すべてを変えることができる。そしてリテルに倣って、補完的だが、歴史的真実とは異なる文学的真実、アリストテレスを引用しながら、セルカスが歴史の道徳的真実に同化した文学的真実があると付言している☆27。彼は歴史的小説は書かな

☆23　Cercas, *Le monarque des ombres*, *op. cit.*, p. 21.

☆24　Voir David Becerra Mayor, « La Guerra Civil en la novela española actual. Entre el consenso de la transición y el consenso neoliberal », *Revista Chilena de Literatura*, n°98, 2018, p. 73-103; Raquel Macciuci, « Apuntes sobre posmemoria para leer *El monarca de las sombras* de Javier Cercas », *Pasajes*, n°56, 2019, p. 41-59. を見よ。

☆25　Dominick LaCapra, « Historical and Literary Approches to the Final Solution: Saul Friedländer and Jonathan Littel », dans Dominick LaCapra (dir.), *History, Literature, and Critical Theory*, Ithaca, Cornell University Press, 2013, p. 105. リテルによると、『慈しみの女神たち』においては、語り手の「私」は語りの「彼」としても機能し、そうして批評

い。彼は「現在に関する小説」を書き、そこで現在がどの程度過去にとり憑かれているのかを示そうとする。[☆28]過去は取り返しがつかないのだ。過去の主観的記述は、歴史的であれ文学的であれ、または両方であれ、作者の政治的な選択から解放されず、これが彼を方向づけ、育む。この記述はその選択をいつも受け入れるものではない。ときにはそれを隠蔽することにも使われる。『影の帝王』に想を与えた歴史観は、数年間、政権当局にスペインの国祭日の一〇月一二日に縦列行進の催しを組織させたのと同じであり、そのさいには元共和派が、フランコによって東部戦線のドイツ側で戦うために送られた青師団 División Azul の元兵士といっしょに、腕を上下に振って姿を見せるのである。

さて小説を離れて歴史に戻ろう。セルカスの本を読みながら、私は二〇年ほど前にイタリアで大評判になったもうひとつの自伝的テクストを思い出した。二〇〇〇年、イタリア最古の大学のひとつを成すピサ高等師範学校の尊敬すべき歴史家ロベルト・ヴィヴァレッリ〔一九二九―二〇一四〕が『ある時代の終り――追憶一九四三―一九四五年』を出版したが、この著作で彼はサロ共和国[★4]下の若い民兵だった自らの過去を明かしてそれを認めている。この回想録はかなりのインパクトをもたらして、激しい議論を巻き起こした。ヴィヴァレッリはファシズム体制ではなく、少なくとも自分が行なったことを擁護したが、しかし自らの過ちは頑として認めなかった。「私は自分がしたことを後悔はしないし、また繰り返すかもしれない[☆29]」。彼は若いころの政

的距離を再導入している。ジョナサン・リテルとピエール・ノラ「歴史と小説に関する会話」、*Le Débat*, n°144, 2007, p. 29. を見よ。彼はそうして主人公との「異化効果的自己同一化」の関係を作り出している。この概念については、以下参照：Dominick LaCapra, *Writing History, Writing Trauma*, Baltimore, John Hopkins University Press, 2014, p. 40.

☆26　Justo Serna, *Historia y ficción. Conversaciones con Javier Cercas*, Madrid, Punto de Vista, 2019, p. 241.

☆27　*Ibid.*, p. 244-245.

☆28　*Ibid.*, p. 211-212. Fabien Escalona et Lise Wajeman, « Javier Cercas, "Le passé n'est pas passé" », *Mediapart*, 14 septembre 2018. も見よ。

★4　イタリア社会共和国（一九四三年九月～一九四五年四月）。ナチの傀儡政権で第二のイタリア・ファ

治的参加を誇りとして見せるが、その理由はイデオロギー的なものではなく、家族の歴史に結びつく実存的なものだった、と明言している。彼自身のファシズムはまず「父の記憶に忠実でありたいという欲求」から、そしてまた彼にとって、「ファシズムと祖国は同じものだった」ことからきている、と彼は書いている。彼はファシズムの大義が「道徳的かつ歴史的に正しくない」ことを明確に自覚しているが、それでも信念のために闘ったという誇りをつねに感じていたのである。☆30

いま一度、主観性はあらゆる歴史的理由よりも強い権利を主張している。内戦はバリケードの両側の悲劇である。問題は彼らの解釈がこの事実に留意するかどうかである。ヴィヴァレッリは自らの生と選択に自己満足的な視線を投げかけるだけで十分とした。彼は悪い方の陣営を選んだが、その参戦はマヌエル・メナと同様に純粋で気高いものだった。結局、歴史は家族の信条（pietas）の問題にすぎないとしても、重要なのは忠誠心であり、祖先の運命と行為はもうどうでもよい。この忠誠がアウシュヴィッツに強制収容されたユダヤ人に向かうか、ファランヘ党員に向かうかは第二義的か、さらには枝葉末節なことでしかない。彼らはみなホメロス的な英雄になり、彼らの子孫は、歴史家であれ小説家であれ、ジャブロンカが示唆するごとく、アイネイアス〔トロイアの王子でトロイア戦争の英雄〕の好敵手たち同様、父を肩に背負っているのである。

この事実は、近親者が誰であれ、彼らに対する愛情の正当性を問題にするのではないし、そ

シズム国家。

☆29 Roberto Vivarelli, *La fine di una stagione. Memoria 1943-1945*, Bologne, Il Mulino, coll. « Intersezioni », 2000, p. 105-106.

☆30 *Ibid.*, p. 26.

れは、悪い方の側にいる者や非難すべき選択をした者の主観性を探索したいとする欲求や関心を否定しないのと同様である。死刑執行人のでっちあげた作り話を生み出した文脈と心理的メカニズムを考え合わせると、過去の認識が実際に深まり、また悲痛な文学的物語を生む着想も与えるが[☆31]、それでもその関心と欲求は当事者の主観性をより大きく複雑な過去の見方に組み込む彼らの能力からきている。ところで、セルカスとヴィヴァレッリは、歴史の深い意味はこの主観性、つまり、サロの民兵とスペインのファランヘ党員はたんに敵と同じ資格で人間存在であるだけでなく、彼らも人間の最も高貴なものを表現することができる、と言っている。一度過去を解釈する鍵とされると、このアプローチは別のアンドレアス・ヒルグルーバーを生み出す恐れがあるが、先に取り上げたこのドイツの歴史家にとっては、帝国《ライヒ》の国境を防衛し、赤軍の「復讐の暴虐乱行」から家族を守る国防軍兵士は第二次世界大戦のホメロス的英雄だったのである。

確かにセルカスはフランコ主義の懐旧者ではない。彼が、理解することは正当化することを意味しないし、文学の使命は「人間性の限りなき可能性を探究すること」にあると指摘するのはまったく正しいが、ただやはり彼はスペイン内戦の「新しい固有な見方」を示す野心を表明している。そして「修正主義」について問われると、彼の答えはかつてエルンスト・ノルテやロレンツォ・デ・フェリーチェが答えたこととほとんど違わない。どんな歴史的認識の進展も

☆31　ここでは次の二冊をあげておく。歴史記述の分野ではよく知られたクリストファー・ブローニングの研究、*Des hommes ordinaires. Le 101ᵉ bataillon de réserve de la police allemande et la Solution finale en Pologne*, Paris, Tallandier, coll. « Texto », 2007 [1994]; la biographie du braconnier devenu commandant SS Oskar Dirlewanger par Christian Ingrao, *Les chasseurs noirs. La brigade Dirlewanger*, Paris, Perrin, coll. « Tempus », 2009 [2006]. 社会学においては、とくにHarald Welzer, *Les exécuteurs. Des hommes normaux aux meurtriers de masse*, Paris, Gallimard, coll. « NRF essais », 2007. 文学面では、Bernhard Schlink, *Le liseur*, Paris, Gallimard, coll. « Folio », 2017 [1996].

既存の概念の再検討を前提とするものなのである。[☆32] ただ彼は、「修正主義者」に非難されたのは、新しい過去の解釈を提示したとか、誤った読解を正したということではなく、ファシストやナチ、フランコ派に有罪犯人を見、反ファシズムに戦後の民主主義の萌芽を見ていたという、共有された歴史意識の支えをひっくり返したことであるという非難をうまく回避している。セルカスは現在のいくつかの月並みな考え――例えば、エンリク・マルコ〔一九二一―、強制収容所囚人であったという嘘を言い続けた詐欺師〕に、人びとが聞きたがったことを語ったのだと、数年間嘘をつかせたもの――と闘うと主張しているが、フスト・セルナが、『サラミネの兵士たち』のような小説の成功は、実質的には、「現代の道徳的傾向」、すなわち、「反対陣営の悪に対して、どんな嫌疑も受けない善のパルチザンの陣営など存在しない」という考えに同意していることで説明できる、と指摘するのは正しい。[☆33]

〔自らの〕過去を公的に使用する点については、セルカスの文学的ノンフィクションや「実在物語」が歴史家の主張に塩を送っているが、彼ら歴史家は「記憶喪失的」転換期の先見性を強調しながら、一九三六年の人民戦線とフランコ主義の〔歴史に占める位置の〕同等性を明らかにし、反フランコ的自由主義的民主主義を前提としている。[☆34] ヴィヴァレッリの自伝の方は、一九九〇年代に最高潮に達した反・反ファシズム・キャンペーンに含まれるが、この運動は民主党員で下院議長のルチアーノ・ヴィオランテをして鮮やかな演説で、「サロの若者たち」を称賛せしめ

☆32 Serna, *Historia y ficción, op. cit.*, p. 11. 歴史的修正主義の問題については(ノルテとフリーチェを含む)、拙著の第五章を挙げておく。*The New Faces of Fascism: Populism and the Far Right*, Londres, Verso, 2019, p. 131-150.

☆33 Serna, *Historia y ficción, op. cit.*, p. 118.

☆34 スペインの歴史記述的修正主義については、とくに Ricardo Robledo, « El giro ideológico en la historia contemporánea Española: "Tanto o más culpable fueron las izquierdas" », dans Carlos Forcadell, Ignacio Peiró et Mercedes Yusta (dir.), *El pasado en construccion. Revisionismos históricos en la historiografía contemporánea*, Saragosse, Institución Fernando el Católico, coll. « Historia global » 2015, p. 303-338.

たが、彼らは、一九四三年と一九四四年にレジスタンスではなく、ドイツ占領軍に加担したファシスト民兵隊を選んだ者たちで、その記憶は以後イタリア共和国に誇りをもって保たれていた。[☆35] これが過去の主観的記述――歴史家と小説家双方の――の変遷で、彼らは〔個々の〕歴史を公的な次元で使用することを軽蔑しながらも、登場人物たちの体験と主観性に留意することでその深い意味が捉えられると思っているのである。

ジャブロンカ、メンデルゾーン、セルカスは、たとえ目的と結論は違っても、同じように行なっている。彼らは現在に包含される過去、文学も歴史も前提とする過去に関する言説の生成に参加している。そこから生じる〔ジャンルまたは次元の〕混種化は新たに不可避的に二つの境界の問題を提起するが、この境界は出会いの場でもあり、分割線でもある。フランコ以後のスペインが民主化に移行するさいに失敗した、一九八一年二月二三日のクー・デタ未遂事件に関する著作である『瞬間の解剖学』〔二〇一〇年〕の序文において、ハビエル・セルカスは二段階の読解を示唆しながらも、決断を下している。彼はまず小説を書こうとしたが、すぐにフィクションが現実の豊かさと複雑さに匹敵しないことがわかり、ロマネスクなフィクションを諦めて現実を語ることに決めた、と説明している。彼が書いた本はハイブリッドである。「たとえ歴史書ではないとしても〔……〕彼はそのようなものとして読まれることを完全には諦めていない。また現実に対して自己正当化することも諦めてはいない。だからたとえ小説ではないとしても、

☆35　ビオランテの演説については、Filippo Focardi, *La guerra della memoria. La Resistenza nel dibattito politico italiano dal 1945 ad oggi*, Bari, Laterza, coll. « Storia e Società », 2005.

彼はそのようなものとして読まれることを完全には諦めてはいない」[☆36]。フスト・セルナは編集者が作品を小説として紹介して、売り上げ増を期待していると言ったが、セルカスが彼の著作は歴史にも文学にも属すると指摘したのは正しい。彼はエッセイを書いているときさえも、小説家のままだから。

一〇年ほど前、『カルスキ』に論争が集中したが、前述したこのヤニック・エネルの小説は連合軍にユダヤ人のジェノサイドを警告したあのポーランド人将校に捧げられたものである。エネルは小説をはっきりと三部仕立てに分けた。最初の二部では、彼は『ショア』におけるカルスキとランズマンの対話と、一九四四年、占領下のポーランドでの任務について英語で執筆した報告書『ある秘密国家の歴史』[☆37]を要約し、他方、第三部では、この将校をロマネスクな人物に変えて、彼にアメリカ合衆国大統領ローズヴェルトとの出会いを描かせ、自らの生を終えるころには、彼自身の存在に関する苦い想いを語らせている。冒頭の注で、エネルはこの第三章は「フィクション」であり、そこで「ヤン・カルスキに語らせた文章や考えは作り事である」と明言している。このロマネスクな代弁手段によって彼には、ユダヤ人絶滅に対する連合国の無為無策を告発し、また結局最後には皆が、すべてが同じことになってしまうという歴史観を展開することができたのである――前者ではこう告発している。「いまでもなお、私がナチに抵抗するポーランド人と絶滅のため収容所に強制収容されるユダヤ人の運命について話し

☆36 Javier Cercas, *Anatomie d'un instant*, Arles, Actes Sud, coll. « Babel », 2013. 文学評論において、彼は自分の本の構造は小説のそれであると、はっきりと断言している。Javier Cercas, *Le point aveugle*, Arles, Actes Sud, coll. « Un endroit où aller », 2016, p. 51.

☆37 Jan Karski, *Mon témoignage devant le monde. Histoire d'un Etat secret*, Paris, Robert Laffont, 2010 [1944].

ているのに、彼〔ローズヴェルト〕が生あくびを押し殺そうとする音が聞こえるのだ」[☆38]。後者ではこう諦観している。「私はナチの暴力に対決し、ソ連人の暴力も被ったが、ところが意外なことに、油断ならぬ老獪なアメリカ人の暴力も知ることになったのである」[☆39]。

彼はこうして人が知るところとは別の、本物のカルスキを見せようとしたのだろう。「この本が出版された時代、すなわち一九四四年には、真実をいうことは不可能だった。〔……〕われわれはアメリカ人を当てにしていたのだが、彼ら自身がソ連人を怒らせようとしなかったので、私は双方に不利なことは、なにも言えなかった」[☆40]。言い換えると、本物のカルスキは文中にはなく、エネルのペンの外にあったのだろう。しかしながら、フィクションは倫理の規範を超えるものではなく、死者の権利を無視してはならないだろう[☆41]。この本によって引き起こされた激しい論争において、エネルは作家として対話を考え出し、登場人物のプロフィールを描く権利を要求し、カフカの『日記』を引用して、文学の使命とはまさに「境界への攻撃」[☆42]であると指摘している。また彼が歴史的真実を偽造したと非難し、「文学と真実にはなにも共通なものはなく、また文学は真実のことなど気にする必要はない」[☆43]という考え方をしていると難じたクロード・ランズマンにも、そう答えている。だがランズマンがまず『ショア』、次いで彼の制作したカルスキに関する映画において行なった手抜き（省略）を考えると、同じような文句が彼にも向けられよう[☆44]。

☆38　Haenel, *Jan Karski*, *op. cit.*, p. 123.
☆39　*Ibid.*, p. 128.
☆40　*Ibid.*, p. 123-124.
☆41　Antoine Compagnon, « Histoire et littérature, symptôme de la crise des disciplines », *Le Débat*, n°165, 2011, p. 69. を見よ。
☆42　パトリック・ブシュロンが引用して、これをこれに関する彼自身の考察の題名にしている。「あらゆる文学は境界への攻撃である――文学回帰に対する歴史家の困惑に関するメモ」、*Annales*, vol. 65, n°2, 2010, p. 451.
☆43　Claude Lanzmann, « *Jan Karski* de Yannick Haenel: un faux roman », *Les Temps modernes*, n°657, janvier-mars 2010, p. 1.
☆44　Manuel Braganca, « Faire parler les morts: sur Jan Karski et la controverse Lanzmann-Haenel », *Modern & Contemporary France*, vol.

エネルはフィクションにより、ランズマンは映画のモンタージュにより同じくカルスキを解釈している。エネルを評したアネット・ヴィエヴィオルカの言を借用すると、両者ともが「証人に対してなんの尊敬の念も示さず、その証言を曲解している[☆45]」と言えるかもしれない。ところで、作家が登場人物を作り出す権利に異議は唱えられないとしても、過去を蘇らせるとか表現するという能力に関しては留保できる。なぜなら、エネルのフィクションは、第二次世界大戦の三〇年後にアマゾンのジャングルにいるヒトラーを想像したジョージ・スタイナーのものではないから[☆46]。ましてや、映画『ライフ・イズ・ビューティフル』でアメリカ兵にアウシュヴィッツ収容所を解放させたロベルト・ベニーニのものでも、また『イングロリアス・バスターズ』で、パリの映画館でレジスタンスに襲われてヒトラーを死なせたクエンティン・タランティーノのものでもない。後者はそうしてこの滑稽な結末を映画の想像力が歴史的現実に勝るというアレゴリーに変えているのだ。だがエネルは冗談を言っているのではなく、彼はフィクションによって歴史の深い意味を捉えようとしたのだろう。

すでに『慈しみの女神たち』で荒れ狂い、エリック・ヴュイヤール〔一九六八―〕の『議事日程』〔邦訳名『その日の予定』塚原史訳、岩波書店〕、次いでスクラッティのムッソリーニに関する本で測ったように再浮上したこの論争において、歴史家と小説家たちは二つの不倶戴天の陣営の塹壕にこもったかのようである。実証主義的歴史記述の支持者は過去の独占権を再確認し、エネルの

23, n°1, 2015, p. 35-46. を見よ。

☆45 Annette Wieviorka, « Faux témoignage », *L'Histoire*, n°349, 2010, p. 30.

☆46 George Steiner, *Le transport de A. H.*, Paris/Lausanne, Julliard/ L'Âge d'homme, 1981.

侵犯、マクシミリアン・アウエの「ほとんど真実性のない」性格、ムッソリーニの肖像に散りばめられた日付の誤りなどに強く抗議しているが、あたかも『ヤン・カルスキ』や『慈しみの女神たち』、『M』は小説ではなく、博士論文であるかのようだ。[☆47] ジャン・ソルシャニーが歴史家の鑑定の限界を指摘しているのは正しい。研究者にはその領分を扱う文学的作品について専門家としての意見を表明する権利があるとしても、それは慎重に行なうべきである。なぜなら、「小説家の自由とその仕事の特殊性は軽々に処するべきではないからである」[☆48]。

まったく同じ尊大さで、作家たちは登場人物の歴史的「真実性」に関する批判に対して最高度の軽蔑を示し、正確には定義づけられないが、「歴史的真実」とは反対の「ロマネスクな真実」を主張する権利を要求した。先ほど見たように、これが批判に対するリテルとセルカスの答えである。[☆49] ところで、リテルがマックス・アウエの肖像を描きながら、ナチ将校の原型を示すのではなく、戦争、ジェノサイド、国家社会主義を背景にして架空の人物像を創り出そうとしたとしても、エネルのフィクションはカルスキやローズヴェルトのような二人の歴史的人物を登場させており、このことが既知の歴史的事実とのズレと、そのあまり信用できない肖像をより厄介なものにするのである。スクラッティの方は、歴史的真実にいかなる「ロマネスクな真実」も対置しない。小説の汚点となった事実に関する錯誤——いくつかの細部、とくに日付の誤り——を認めたあと、彼は「歴史家と小説家の新たな同盟」を擁護している。また歴史的

☆47　とくに『慈しみの女神たち』の検閲を要求したEdouard Husson et Michel Terestchenko（*Les complaisantes. Jonathan Littell et l'écriture du mal*, Paris, François- Xavier de Guibert, 2007）と、Ernesto Galli della Loggia, « "M" di Antonio Scurati, it romanzo the ritocca la storia », *Il Corriere della Sera*, 13 octobre 2018を参照。．『慈しみの女神たち』をめぐる歴史家論争については、ジャン・ソルシャニーの優れた見解参照。« *Les Bienveillantes* ou l'histoire à l'épreuve de la fiction », *Revue d'histoire moderne et contemporaine*, vol. 54, n°3, 2007, p. 178.

☆48　Solchany, « *Les Bienveillantes* ou l'histoire à l'épreuve de la fiction », *loc. cit.*, p. 178.

☆49　*Ibid.*, p. 165. 二〇〇六年一一月一七日付『ル・モンド』のジョナサン・リテルとの対話、参照。

研究の成果がなければ、彼の小説は書かれなかっただろうとも認め、「幅広い記録資料をベースにしてはいても、［彼の本］は小説であり、歴史評論ではない」[☆50]と明言している。その結果は多かれ少なかれ満足すべきものだが、この本は歴史記述研究の評価と同じ基準によって判断されるべきではない。この区別は自明の理に属することで、これを認めないことは、歴史と文学の自律性を否定するか、読者を小児化して、分析とフィクションの区別もできないようにすることになろう。

ときには、この二つの区別は、ヴィシーとファシズムの歴史家ロバート・O・パクストンが示唆するように、ヒエラルキーを固定するためになされるが、彼はすでにエリック・ヴュイヤールの『議事日程』を批判することで、より多くの着想を得ていた。[☆51] 二〇一七年のゴンクール賞を受賞したこの短い物語 récit は、国家社会主義の歴史の二つの局面を描いている。一つ目はマージナルだが象徴的で、首相への指名の数週間後、一九三三年二月二〇日、ヒトラーがドイツ経営者層の名士たち、二四名の銀行家や実業家と瀕死状態の帝国議会《ライヒスターク》で行なった会合で、彼ら経営者たちは、会談後、小切手帳を出してナチ党の選挙キャンペーンにたっぷりと資金供与した。二つ目は五年後のオーストリア併合で、ヴュイヤールはいくつかの挿話に並行して触れながらその展開を物語っている。まず、ドイツ大使ヨアヒム・フォン・リベントロプが、ベルリンへ帰って帝国外務大臣に就任する直前、侵攻の晩に英国首相ネヴィル・チェンバレンの

☆50　ガリ・デラ・ロッジャの激しい非難、« “M” di Anto, *loc. cit.*; とアントニオ・スクラッティの答え、la réponse de Antonio Scurati, « Scurati replica a Galli della Loggia: raccontare è arte, non scienza esatta Lo storico: la venitá non va tradita », *Il Corriere della Sera*, 17 octobre 2018.

☆51　Éric Vuillard, *L'ordre du jour*, Arles, Actes Sud, coll. « Un endroit où aller », 2017.

官邸でした夕食。次いで、ヒトラーと既成事実を前にしたオーストリア首相クルト・シュシュニクとの最後の対談である。

こうした歴史的出来事の虚構の再構成に不満なパクストンは、ヴュイヤールが大資本に雇われたファシズムという古いマルクス主義的常套句を再現していると非難し、鉄鋼王フリッツ・ティッセンのような有名ないくつかの例外を除いて、ドイツのブルジョワジーはナチではなく、彼らは保守党派すべてにふんだんに資金援助しており、またナチ体制の樹立後、やっと諦めて支持要請を受け入れたのだと指摘している。そして、ヴュイヤールはヒトラーの権力上昇に関する歴史記述をもっと注意深く読むべきだった、とも言っている。それに、彼は、ヴュイヤールが描いた物語とは反対に、ナチズムに対する英国の態度はチェンバレンの弱さや逡巡、無理解には帰せられない諸要素が複雑に入り混じったことの結果であるとも述べている。

ところで、ヴュイヤールはナチを資本の操り人形として呈示しているのではない。この大ブルジョワたちが帝国議会へ到着するさいの仰々しい描写はむしろ、彼らが旧貴族階級に近いことを示すのにスペースを割いている。彼らの上品そうなスタイルや気取った態度、厳めしそうなエレガンスは、彼らとナチ運動の平民的な原点を隔てる距離感を示しているが、共産主義の決定的な撲滅排除を約束するというヒトラーとゲーリングの理屈は、彼らの耳にはきわめて説得力があったのだ。彼らはナチズムとはいかなる親近性もなく、彼らが創ったのでもなく、警戒していたが、計算づくの下心から支持すると決めたのである。史実はこの解釈と一致するが、ヴュイヤールは見事な正確さでその文学的イメージを与えている。西欧民主主義と国家社会主義の関係に関する歴史記述的な幅広い論争を要約しようとはせずに、ヴュイヤールは前者が後者の上昇を阻止できなかったこと、また一九三三―一九三九年は、前者がきわめて無分別で妥協的、しばしば卑劣な態度を示していたことを説得力豊かに描いたのである。つまり、スペイン内戦から、まさしく一九三八年のオーストリアによるドイツ併合の受諾とそれに続くミュンヘン会談を経て、チェコスロヴァキア侵攻までの出来事を描いたのである。あのロンドンの夕食のさい、リベントロプの見せかけの臆面もなき愛想よさに対するチェンバレンの沈黙と寛大さが、『議事日程』において例証するのは、この罪深い意志薄弱さと受動的態度である。

　パクストンはこういう歴史の文学的描写を好まない――それは彼の権利だ――が、ただ彼のヴュイヤールに対する批判は誤解に基づいている。彼はこう書いている。「残念ながら、われわれはテクストのこの部分が作者の創作であるかどうか、それが当時の原資料に基づいているかどうか、またはそれが回顧的に書かれた回想録から引かれたどうかを言うことはできない」。そしてこう結論づけている。ヴュイヤールは「〔大文字の〕歴史を見世物として」示すという単純な目的で大量の細かな事実を積み上げているが、それが「〔歴史〕記述することにはならないのである。[☆52] 換言すれば、パクストンは、ヴュイヤールが歴史家ではなく、物語の題材を歴史家と

☆52　Robert O. Paxton, « The Reich in Medias Res », *The New York Review of Books*. 6 décembre 2018.

して扱わず、あらゆる歴史書に要求される分析的濃密さを与えていないと非難しているのだ。結局のところ、それは歴史を研究者の独占的な領分と見なして、文学が当然のこととして劣位を占めるというヒエラルキーを確立することである。反論として、ヴュイヤールが文学を補助的で飾り物的な役割に追いやる、そのような見方はただたんに「旧弊な」☆53だけだと指摘しているのは正しい。歴史は過去に関する批判的言説であり、文学はそれをフィクションに変える。文学はその様相や雰囲気、ひとの声、形態を捉えようとする。そして細部にこだわり、その外見上は取るに足りない性格を越えて、あるひとつの時代の精神世界、慣習や文化、社会的関係を明らかにする。それゆえ、過去を理解することは〔歴史と文学の〕二つを必要とするのである。

しかしながら、歴史的真実は若干の補足的考察を要する。パトリック・ブシュロンは、ネガシヨニスム〔アウシュヴィッツ否定論〕反対闘争の時代、断固としてかつ謙虚に歴史記述の基本的公準を強調していたピエール・ヴィダル゠ナケを引用している。後者はこう書いている。歴史には、「私がやむを得ず現実的なるものと呼び続けているなにか還元不能なものがある。この現実的なるものがなければ、どうして小説と歴史を区別するのか?☆54」。言語論的転回の支持者の主張と違って、歴史家が関心をもつ事実には純粋に論証的な実在はないが、それはこの事実が言説のテクスト外の現実からくるからである。この現実は確認できるもので、そこから生じる知識

☆53 Éric Vuillard, « Novels as History », *The New York Review of Books*, 7 février 2019.

☆54 Pierre Vidal-Naquet, « Lettre », dans Luce Giard (dir.), *Michel de Certeau*, Paris, Centre Georges Pompidou, 1987, p. 71-72. パトリック・ブシュロン「あらゆる文学は境界への攻撃である」, *loc. cit.*, p. 465. に引用。Pierre Vidal-Naquet, *Les assassins de la mémoire. « Un Eichmann de papier »* と修正主義に関する他の論考, Paris, La Découverte, 1987, p. 148-149. も参照。これはケーテ・ハンブルガー（『文学の論理』、インディアナ大学出版局、一九七三年）が文学理論の観点から引き出したのと同じ結論で、言葉を発するのが実際の人間である歴史と違って、小説では、人物を創り出すのは言葉であると指摘している（二〇三頁）。私はヴィダル

は言語論的な加工物ではない証拠に基づいている。[☆55] 確かに、存在するためには、事実は必然的に言語への転写を経なくてはならないのは本当だが、ただそれは言語活動によって作り出せるものではない。なぜなら、歴史のヌヴォー・ロマンは歴史に錨があることを要求し、幅広い既得知識に立脚するので、その創作はそれら既得知識に反してはならない。カルスキを文学的ヒーローにしたいならば、その個性を創り出し、考え出した事柄を当人にあてがえるが、だがその口で、彼が本当に言ったことや書いたことに反することを語らせるべきではないだろう。

　歴史的真実は複雑であり、これもまた必要な慎重さなくして軽々しくは扱えない。私としては、ニーチェの跡に従って、それを罠として、また多様なレトリックに使われたあと、錯覚であることが明らかになる一連の「隠喩や換喩、変成作用」として排除する人びとの存在論的懐疑主義には与しない。[☆56] 周知のことだが、この立場はミシェル・フーコーによって有名なニーチェと歴史論で再び取り上げられ、また一九六七年からは、ロラン・バルトによって、言語論的転回の出現にある一定の役割を演じ、「空たる偉大な超自我」、歴史に別れを告げたい欲求を画する著作において擁護されている。[☆57] こうした姿勢はかつてポストモダンの歴史記述の旗印のひとつだったが、いまや大多数の研究者には放棄されている。古代から、歴史は真実の探究、すなわち、調査と知識の生産であり、それはたとえ、各時代によって、この真実の生成手段と有効化の基準が変わるとしても、である。[☆58] この認識論的相対主義は真実という観念を問題化する

＝ナケのこの一節を拙著で文脈に合わせて引用した。*Le passé: modes d'emploi. Histoire, mémoire, politique*, Paris, La Fabrique, 2005, p. 67-69.

☆55 Roger Chartier, *Au bord de la falaise. L'histoire entre certitudes et inquiétude*, Paris, Albin Michel, coll. « Bibliothèque histoire », 1998, p. 16. を見よ。

☆56 Friedrich Nietzsche, « Vérité et mensonge au sens extramoral », dans *Œuvres philosophiques complètes*, vol. 1, t. 2, *Écrits posthumes (1870-1873)*, Paris, Gallimard, 1975, p. 282.

☆57 Michel Foucault, « Nietzsche, la généalogie, l'histoire » [1971], dans *Dits et écrits (1954-1988)*, t. 2, *1970-1975*, Paris, Gallimard, coll. « Bibliothèque des sciences humaines », 1994, p. 139; Roland Barthes, « Le discours de l'histoire », dans *Essais critiques*, t. 4, *Le*

のであり、排するものではない。なぜなら、歴史記述を行なう務めのひとつはやはり真実と虚偽をより分けることにあるからである。例えば、解釈学によって、一四四〇年のロレンツォ・ヴァッラによる証明以降、『コンスタンティヌスの寄進状』――コンスタンティヌス帝が帝国の三分の一をローマ教会に供与したという文書――は偽書であることが判明し[☆59]、また歴史記述は近年、とくにピエール・ヴィダル＝ナケと他の歴史家たちが反ネガショニスム闘争のさいにそれを再確認している。ガス室が存在しなかったと主張することは欺瞞なのである。

文学自身はこの真偽の区別を反映するものとなり、少なくともドレフュス大尉を起訴する基となった嘘の偽造を告発したゾラの『われ糾弾す！』以来そうである。「真実は歩んでおり、なにものもこれを止められない」。この『われ糾弾す！』の一節はドレフュス擁護キャンペーンのスローガンになった。今日では、「ロマネスクな真実」の支持者さえもテクスト外、言語外の現実に基づく真実への依拠を避けられない。ハビエル・セルカスの「小説」の『詐欺師』の本当の主人公は民間の無名の歴史家ベニート・ベルメジョであり、彼がエンリク・マルコ、元マウトハウゼン強制収容囚スペイン協会長は嘘つきで、けっして強制収容されていないことを証明したのである[☆60]。この「真実」という観念が唯一認められて（また歴史にも文学にも共有されて）いるとしても、「ロマネスクな真実」の観念は、その唯一の有効化の基準が作者の意図にあるので、はるかに問題があるように思われる。歴史の真実に一致するとか、それと二者

bruissement de la langue, Paris, Seuil, 1984, p. 165. François Hartog, « Temps et contretemps: Barthes, l'histoire et le temps », *MLN*, vol. 132, n°4, septembre 2017, p. 876-889. を見よ。このフーコー的立場を擁護するが、それを問題化して、微妙に変奏して興味深く豊かなものにした歴史家のなかに、ジョーン・W・スコットがいる。« L'histoire comme critique », dans *Théorie critique de l'histoire. Identités, expériences, politiques*, Paris, Fayard, coll. « À venir », 2009, p. 13-63.

☆58　Carlo Ginzburg, *Le fil et les traces. Vrai faux fictif*, Lagrasse, Verdier, 2010, p. 25. を見よ。

☆59　*Ibid*., chap. 3.

☆60　セルカスは、ベルメジョという人物がマージナルな位置で結末でしか登場しないとしても、彼が作品の「真の主人公」であると強調している（Serna,

択一的な「ロマネスクな真実」はない。文学的創造の基礎となる歴史的真実——証明された事実や出来事総体——はある。歴史的事実を侵犯するフィクション——例えば、多くの小説や映画の歴史の虚構的再構成／書き直しuchronie——は確かに過去の解釈を刺激するとか問い直すことはできるが、歴史的真実に代わるとか並ぶことのできる新しい真実はいっさい提供しない。後者の方は、つねにさまざまな解釈の対象となる事実を確定しているのである。

確かに、情報源に含まれ、古文書館に預けられ、収集されて展示されるのを待っている真実を前提とする実証主義的歴史記述の「事実羅列的幻想」に異議を唱えることはできるし、[☆61]また事実が、しばしば公共空間に、メディアや支配的言説を介して、あるいは反対に、断片的でバラバラの過激な発言などに多様な形で現われたあと、歴史家自身によって「構築」されることも認めなくてはならない。しかしこの「歴史創出」は一定の資料を基にして行なわれなくてはならない。二〇世紀初頭の「〔連続〕女性殺害犯」アンリ・ヴィダルの調査において、フィリップ・アルティエールとドミニック・カリファはそのような人物に対決させられると、歴史家は「現実の観念自体が、もつれるか重層化し、また収斂するか分岐したイメージのきらめきで揺れ動くが、そのスペクトルだけが社会的世界の複雑さ、つまりは真実を描くの[☆62]」を見ることになる、と指摘している。しかるに、彼らは「真実の要求」を放棄しようとはせず、すぐ「言説、言語活動、より一般的には記録資料はあらゆる生の厚みを再構成するのに十分ではない[☆63]」、

Historia y ficción, *op. cit.*, p. 223).

☆61 Florent Coste, « Propositions pour une littérature d'investigation », *Journal des anthropologues*, n°s 148-149, 2017, p. 48-49 と Laurent Demanze, *Un nouvel âge de l'enquête. Portraits de l'écrivain contemporain en enquêteur*, Paris, José Corti, coll. « Les essais », 2019, p. 21. を見よ。

☆62 Philippe Artières et Dominique Kalifa, *Vidal, le tueur de femmes. Une biographie sociale*, Lagrasse, Verdier, 2017 [2001], p. 18.

☆63 *Ibid.*, p. 19.

と付け加えている。歴史を形づくる現実は摘まれるのを待つ果実ではないが、やはりあらゆる歴史的言説の不可避の台座であることに変わりはないのである。

　小説家で文学史家のガブリエーレ・ペドゥッラは哲学の道具立てを駆使して、歴史とフィクションの親近性と違いを定義づけている。歴史家と小説家は古典主義者がelocutio=éloquence（文体とテクストの語彙的構成〔状況や内容に適した言語表現にすること〕）、dispositio=disposition（言説の修辞学的構造化）と呼んだものを共有しているが、しかしinventio（これはラテン語で「見つけるtrouver=find」の謂）への同じアプローチはもたず、前者はこれを語源的意味で、後者はinventer=invent〔発明する／考えだす／考案する〕という近代的な語義で用いている。歴史的想像力はロマネスクな想像力と同じ性質ではない[☆64]。この区別は歴史の役割そのものを定義づけるのにきわめて重要であり、それは、ギンズブルグによると、「世界におけるわれわれの存在の緯糸を成す真なるものと偽なるもの、虚なるもののもつれを解きほぐすこと[☆65]」にある。だがたとえ歴史的叙述と文学的フィクションが異なっても、双方は認識上の関係を有する。双方が真実との関係を有するならば、この真実は同じである。

　小説は現実から解放される。つまり、マックス・アウエは、彼がヒムラー宛に作成した報告書同様、実在しなかった。カルスキの回顧的考察やローズヴェルトの退屈なあくびはエネルが考え出したもの。ムッソリーニのエロティックな幻想はスクラッティのペンから生まれたも

☆64　Gabriele Pedullà, « Carlo Ginzburg, *Il filo e le tracce. Vero, falso, finto* », *Laboratoire italien*, n°7, 2007, p. 5.

☆65　Ginzburg, *Le fil et les traces*, *op. cit.*, p. 17.

の。チェンバレンのところでのリベントロプの冗談はヴュイヤールの想像力の結果なのである。それでもSSの収容所経営管理と絶滅のあいだの緊張関係は現実にオスヴァルト・ポールの〔SS〕国家保安本部RSHA内部で論争を巻き起こしたのであり、『慈しみの女神たち』のアウエはこの機関のために働いていたのである。また次のことにも変わりはない。すなわち、ユダヤ人絶滅に対する連合国の態度と、ナチ収容所を爆撃しないという決定が研究者によって検討され続けていること。ムッソリーニの死体は歴史記述による探索テーマであること。一九三〇年代、ヨーロッパの危機のテンポは、イギリスが停滞していたのに対し、ナチ・ドイツによって加速されたこと。さらに軍人貴族階級出身で複数言語に堪能なリベントロプが、英国の外交政策に無知であったにもかかわらず、外交官のパントマイムを演ずるはまり役であったことなど問題が残るのである。

リテル、エネル、スクラッティ、ヴュイヤールなどの小説は現実から解放されて、歴史家が仮説と解釈の観点で扱う一連の問題について、フィクションのモードで断を下している。リテルの小説は、時系列や諸事件、言及された歴史的状況を越えて、主人公の冒険物語を育んだナチズムの数十年にわたる歴史記述上の解釈を統合している――この解釈とは、「銃弾によるショア」と死の収容所における工業的絶滅の関係、死刑執行人の教養程度とメンタリティー、ナチの権力体制内部のヒエラルキー関係などについてである。こうした考察はスクラッティによるムッソリーニのロマネスクな肖像にも適用できるかもしれない。彼はファシズムの象徴的次元に関する歴史記述の獲得知識、つまり、その飛躍的発展に暴力が果たした役割、「大衆の国有化」、そのカリスマ的支配の権限と形態、伝統と前衛の奇妙な混淆、ドゥーチェが実現した右翼革命などに関する知識を徹底的に同化している。この三〇年間に、大部分の歴史家は一致して、ファシズムを徹底的に諸説混合的なイデオロギー、政治運動と定義づけた。スクラッティは一九一九年のファシズム誕生に触れながらこう書いている。ムッソリーニは「ファシストはいないことを強調している。つまり、彼らは共和主義者や社会主義者、民主主義者でも、保守主義者、民族主義者でもない。その代わり、彼らはあらゆる肯定とあらゆる否定の合成である。われわれファシストは既成の思想はもたない、われわれのドクトリンは事実である、と彼は結論している」[☆66]。

小説家は人物や状況を考えだすが、ただたとえ現実から解放されても、彼らはこれと、たんなる模倣的再現よりもはるかに複雑な関係をもっており、嘘をついているわけではない。彼らは彼ら自身の手段によって現実のより深くより微妙な理解を探究しているのである。仮説を立てる代わりに、彼らは筋立てを考案し、架空の状況を展開し、登場人物の心理を探り、知的かつ情動的な精神風景を探索する。現実から離れても、フィクションはその裏側、影の部分、奥深く隠された残酷な秘密を暴く[☆67]。新しい主観的な歴史記述の方は、こうした小説が提起した問

☆66　Scurati, *M, op. cit.*, p. 112. スクラッティの小説とファシズムの歴史記述の関係については、Maddalena Carli, « Le fascisme en prise directe. Autour du dernier roman d'Antonio Scurati, *M. Il figlio del secolo* », *Passés futurs*, n°5, juin 2019 の優れた見解を参照。

☆67　Serna, *Historia y ficción, op. cit.*, p. 55.

いに異なった答えを提供する。これは現実から解放されてはいないが、「ストーリーテリング」を再導入し、現実を過去の当事者から調査者―語り手、つまり現実にしっかり根を下ろした歴史家の方に移行させるのである。

ブシュロン、彼自身はフィクションによって歴史の空白を埋める誘惑に直面させられた。彼の本のひとつはレオナルド・ダ・ヴィンチとマキアヴェッリの逸した出会いを対象としている――この出会いはあったであろうが、ただ不明のままである。なぜなら、あっても、なんの痕跡も残っていないから。同時代人である彼らは二人とも、フィレンツェの要塞化のためにアルノ河の水路変更計画を託されて、チェザーレ・ボルジアのもとでレオナルドは軍事技術顧問として、マキアヴェッリは外交官として働いていた。一五〇二年、彼ら二人とも、ウルビーノでやはりチェザーレ・ボルジアの傍にいたが、いかなる古文書も、レオナルドの日記も、マキアヴェッリのフィレンツェの領主宛の公用文書もこの出会いを証明していない。「二つの世界、二つの夢、二つの野心のあいだの緊密な共謀関係」[☆68]を確認したあと、ブシュロンは、彼以前にイタリアの歴史家エドモンド・ソルミがすでに確認したこと、つまり「場所は語れど、その居住者は黙す」[☆69]を承認せざるを得なかった。

したがって、彼はレオナルドとマキアヴェッリのいかなる出会いも描いてはいない。彼の役割はこの空白を想像力で埋めるよりもむしろ問うことにあるからである。また彼が二つのメタ

☆68 Patrick Boucheron, *Léonard et Machiavel*, Lagrasse, Verdier, 2008, p. 24.
☆69 *Ibid.*, p. 17.

ファーを駆使して、この結論を引き出すのは、きわめて文学的な形態においてである。歴史は再構成されるのを待つパズルではない（あるいはたんなるパズルではない）。それは、「壊れているものがいつか全部元に戻ることも、またこれらのバラバラの語がひとつの同じ文章からきたことも、母岩から引き出されたこれらの断片がひとつの同じ筋からきたこともなにも証明しない」☆70からである。パズルのイメージよりも、彼は浅瀬、「共通の不安の流れを辿るために渡るべき浅瀬」のイメージを好む。浅瀬というのは、歴史家が取り組んでいる情報源の探索は、「ひとつずつ飛び跳ねながら浅瀬で渡らねばならない小川の中の小石のようなもの」☆71だからである。それゆえ、彼の「歴史の弱点」擁護――その知識はつねに概算であるため、限界を自覚した歴史である――は、歴史と文学の対話の肥沃さを認めたあと、境界を復活させ、「歴史家の文学的誘惑は弱さの告白である」☆72と結論づけることになる。

これはすでにカルロ・ギンズブルグが言ったことだが、彼は、ミクロストリアの叙述の選択をすることはとくに、歴史家が情報源を探索し、認識プロセスを構築する道である調査をどう記述するかに関係すると、説明している。

> トルストイは出来事（例えば、闘い）の断片的でねじれた痕跡と出来事自体のあいだの不可避なズレをひと飛びで越えている。しかしこの跳躍、この現実との直接的関係は〔……〕

☆70 *Ibid.*, p. 82.
☆71 *Ibid.*, p. 79.
☆72 Patrick Boucheron, « On nomme littérature la fragilité de l'histoire », *Le Débat*, vol. 165, n°3, 2011, p. 55. 同誌の同じ号で、アラン・コルバンもこの点について賛同し、叙事的であれロマネスクであれ、フィクションという文学の道をとることは、エクリチュールを歴史家の狙いとは一致しない美的な企てに服させることだと指摘している。Alain Corbin, « Les historiens et la fiction. Usages, tentation, nécessité... », *Le Débat*, vol. 165, n°3, 2011, p. 60. を見よ。

想像力の働く創作 invention の場でのみ可能である。つまり、この道は痕跡や記録資料だけを手にする歴史家には許されていない。多くは凡庸な便法によって読者に過ぎ去った現実の幻想を伝えようとする歴史家のフレスコ画は、歴史家という仕事のこうした限界を暗黙裡に退けてしまうのである。☆73

前述したことだが、近代的な形態において、自伝、小説、歴史は一八世紀末にそれぞれがほぼ同時に飛躍的発展をしている。これら異なったジャンル間の架け橋はつねに存在していたにもかかわらず、一種の作業区分が経験的に設定された。歴史は事実を復元し、認識装置、つまり確かに実質的には再検討されることなく、根源的な変化――過去の年代的な再構成から問題としてのその理解への移行――を知ることができる認識装置によりその解釈を提案していた。小説は登場人物を創り出し、その個人的なジレンマと情動の緯糸を通して過去を蘇らせ、他方自伝は確かで立証可能な現実に根ざした主観性を伴う固有な体験への窓を開いていた。例えば、カール・エミール・ショースキーがハプスブルク帝国の絶頂時のウィーンの知的世界のプロフィールを描くとき、彼はシュテファン・ツヴァイクが一九一八年のその崩壊のさいの苦悶と悲しみを語っていることや、ヨーゼフ・ロートがそれを壮大な抒情詩として描写し、『ラデツキー行進曲』の主人公の若き将校カール＝ヨーゼフ・フォン・トロッタの生を語っているこ

☆73　Ginzburg, *Le fil et les traces, op. cit.*, p. 393.

とを知るのである。ラウル・ヒルバーグやアルノ・J・マイヤー、ザウル・フリートレンダーなどがホロコーストの発生と展開を描き、歴史におけるその位置を検討し、他方でプリーモ・レーヴィがその犠牲者の体験に文学形式を与えている。シェイラ・フィッツパトリックはソ連の歴史を理論化し、第二次世界大戦の悲劇的な体験がすでにヴァシリ・グロスマンによって文学に記されていることを知る。またモーリス・アギュロンが一九世紀のフランスの歴史を書こうとすると、彼は読者たちの想像界にはすでにバルザック、フロベール、スタンダール、ユゴーなどが創造したロマネスクな人物たちが住みついているのを知ることになる。

この区分は消えてしまったのではなく、むしろその境界ははるかに抜け穴が多くなった。おそらく視聴覚的な創作が、ドキュメンタリー・フィクションのため、〔抜け穴あとの〕足跡のもつれや乱れが最もはっきりした場であろう。すなわち、アーカイヴの資料とある時代や出来事、歴史的人物の専門家たちとのインタビューなどが、この人物の存在の重要な挿話を通して映画俳優たちが主人公を演ずるフィクションと連続して交錯する、あの映画である。より興味深く魅力的であるためには、歴史はフィクションの形を取らねばならなくなる。「境界への攻撃」は作家にも歴史家にも関係する。前者は歴史に接ぎ木し、実在の歴史的人物に基づいたフィクションを構築する。後者は歴史的叙述に、つねに文学領域に属していた情動次元を導入しようとする。しかしながら、たんなる役割の混淆交雑が問題ではない。多くのフィクションや歴史的著作で争点になっている主観性は、もはや過去の当事者のではなく、過去を見直す小説家や歴史家自身のものである。主観性は陣営を変えた。ゼーバルト、セルカス、ジャブロンカ、アルティエール、ルツァットなどは文字通り彼らの著作の主人公となり、そうして過去と優れて現在主義的な présentist 関係を結ぶのである。もはやたんに過去を蘇らせること――ミシュレやランズマンの野心に従って――だけでなく、現在において（現在形で）歴史を語る作家や歴史家の体験を伝えることが問題なのである。

さていまや、ここで検討中の主観性の方向転換の起源について若干の仮説を表明しなくてはなるまい。その最も明白かつ顕著な次元は、前述したように、語りである。すなわち、文学へ屈折することで、これは、歴史とフィクションの慣例的な区別を問題にすることなく、その関係を総体的に変え、伝統的に文学のものであった自己同一化的な物語をはじめとして、とくに文体論的ないくつかのコードを歴史に投入するものである。それゆえ、歴史と小説の分離区分はほとんど象徴的な形態を生み出す相互作用によって乱される。つまり小説家がだんだんと歴史家から想を得て、事実の真実性へのかなりの懸念を誇示するのに対して、歴史家は小説の道具立てと筋立てで、大半の場合、作者自身である主人公を登場させて調査を語り始めている。アントワーヌ・コンパニョンはつねにこの二つの分野で「二重スパイ」役を演じていたが、彼はこの変化に、いまやこの二つが新たなアイデンティティを求めて手探り状態に陥っている「不確実性症候群」を見ている。☆1

この転換の支持者のなかで最も自己反映投入型のひとりであるジャブロンカは、歴史書をロ

☆1　Antoine Compagnon, « Histoire et littérature, symptôme de la crise des disciplines », *Le Débat*, n°165, 2011, p. 62-70.

マネスクな文体で創作して、読みやすく退屈でなく、うまく書けたものにすることが問題ではないと述べている。歴史と文学の出会いに対する彼の弁護は、古文書館で収集したデータを結び合わせ、いくつかの概念の周りに布置するだけに甘んずることなく、歴史家が結局はうまく書くことを学べるように、彼らに向けたたんなるアピールというだけではない（あるいはそれ以上のものである）。彼は、「エクリチュールに認識論」を投入するため、言説からテクストへの移行、研究と創造の真の融合を擁護している。以下が彼の構想である：「歴史は調査であり、歴史家は調査者であると見なされるならば、その方法から文学的帰結を引き出すことができる。つまり、どこから話しているかを示すため〝私〟を用い、行なった調査を語り、問いかけることのオブセッション〔強迫観念的意識〕から想を汲みとり、現在と過去のあいだを往復し、現実をより良く理解するため方法としてのフィクションを考えだし、適正な言葉を探し、出会った、生きている人びと（生者か死者）の言語に席を与えることである」[☆2]。

　この熱のこもった擁護は魅力的である。ただそれでもやはり、研究者の「私」をめぐる歴史と文学の出会いの様式については検討せねばなるまい。マンゾーニからスタンダール、トルストイからトーマス・マン、ヨーゼフ・ロートからヴァシリ・グロスマンまで、文学はいくつかの個人的運命のプリズムを通して壮大な歴史的フレスコ画を描いてきたが、これは今日、ジョナサン・リテルやアントニオ・スクラッティのような作者たちによってさまざま形態で継続さ

☆2　Ivan Jablonka, *L'histoire est une littérature contemporaine. Manifeste pour les sciences sociales*, Paris, Seuil, coll. « Points », 2017, p. II-III.

れている傾向である。多くの歴史家は反対の道を辿っているようだ。大絵画から細密画へ、偉大な歴史から個人の歩みへ、である。彼らは、カルロ・ギンズブルグやジョヴァンニ・レーヴィが行なっているようにミクロストリアを、またアラン・コルバンの歴史的人類学を選んだのではないが、これら二つは〔方法としては〕特殊から一般へ移り、細部を調査しながら、ある文化や社会、ある時代の起源を理解するために歴史過程の生成を再構成している。だがこれと反対に、こうした多くの歴史家たちが一般から特殊へ、全体史から個人史へと移っている。彼らは情報源に恐ろしく執着し、実在の歴史的人物を描き際立たせるが、全体的な展望は欠落している。つまり、彼らの歴史や問いかけはそれ自身に閉じこもった個人的な生の物語で使い尽くされているのである。

方法論的な面で、歴史の主観的な記述は間違いなく大きな革新をもたらすとしても、それを断絶と見なすのはおそらく誤りであろう。それは他のものも含む分野の進展においてひとつの転換点を画する。この分野を豊かにし、多様化はするが、その妨げにはならない。ただその影響を二〇世紀初頭の前衛芸術が画した区切り、すなわち、絵画においてはキュビズムによって遠近法を分解し、アブストラクトによって具象画的表象の約束事を破棄し、また音楽においてはハーモニーの法則から自由になって無調音楽へと進んだという区切り、と比べるのは誇張であろう。また歴史の主観的な記述は研究の枠組みとなる制度には反抗しない。その支持者は過去の歴史記述に対するダダイストやシュルレアリストではない。彼らは大半が大学界におさまった尊敬すべき研究者であり、〔フランスに限って言えばだが〕国立科学研究所CNRSや社会科学高等研究院EHESS、パリ政治学院、さらにコレージュ・ド・フランスにおいてさえも確固たるポストに就いている。現代の人類学的・文化的な枠内におさまっている彼らの実践には、なにも破壊的なものはない。科学的な面では、彼らの革新は先験的に進歩とも後退とも見なされていない。それはこれまでにない新機軸の道を探究しており、その結果は変わりやすくきわめて多様で、ブローデルとフーコーの後継者を同じだけ集めた幅広いスペクトルに分散している。だから彼らに政治的な姿勢を付与するとかなんらかの流派に押し込めることが問題ではない。過去の主観的記述はもろもろの分野と政治的感性を横断し、それにわずかな親近性しかもたない研究者を集めている。本論は彼らをある流派とか下位分野（sub discipline）に類別するよりもむしろ、それぞれの時代に位置づけることを目指している。

この主観的転換の原因は多様であり、いくつかは歴史記述分野に固有な力学から、他のものは現代世界の変化からきている。より具体的には、ここで私が注目するのは後者である。もちろん、この三人称の叙述から一人称の叙述への移行を、社会科学、とくに二〇世紀後半の歴史記述に影響した主要な変化の徴候と見るのは、誤りではない。しかしながら、歴史家に調査と

「参与観察」[☆3]のテクニックを提供した社会学と人類学の影響を考慮することから始めなくてはならない。数十年前、シカゴ学派の社会学者たちが調査対象への研究者の関与を証明した[☆4]。『悲しき熱帯』（一九五五年）において、クロード・レヴィ＝ストロースはある分野の前提に関する批判的考察がいかに自伝的な物語の形をとるかについて論じた[☆5]。他の変化は、しばしばきわめて辛辣な議論に特徴づけられるが、もっと最近のことである。先に触れた言語論的転回は歴史と文学の関係を変え、公的領域への記憶——個人的かつ集団的記憶——の侵入を助長したが、これは歴史記述を大きく揺るがした現象である。ロラン・バルトとミシェル・セルトーが歴史家に過去の記述はテクストによる構築物であると指摘したあと[☆6]、近代性のメタ（上位）物語（métarécit）〔ジャン＝フランソワ・リオタールの用語〕というディスクールを再検討し、歴史的認識論の枠組みを壊し、視線を寸断し細分化したのはポストモダニズムである。久しく前から損なわれていた旧弊な神学以上に、アイデンティティを求めて細分化された一群のテーマの研究に取って代わられたのは、過去を理解できる能力——社会総体を通時的に再構成する能力——の原則そのものである。

ここでしばし、確固たる傾向をひっくり返したこの変化を検討せねばならない。ラインハルト・コゼレックは、アンシアン・レジームから王政復古までの時代を定義づけるため Sattelzeit（「時間閾」または「転換期」とでも訳せるか）という概念を用いている。進歩の観念が現われ

☆3　この観念はポーランドの民族学者ブロニスワフ・マリノフスキに遡る。*Les Argonautes du Pacifique occidental*, Paris, Gallimard, coll. « Tel », 1989 [1963].

☆4　たとえば Nels Anderson, *Le hobo. Sociologic du sans-abri*, Paris, Armand Colin, coll. « Individu et société », 2018 [1923]; William Foote Whyte, *Street Corner Society. La structure sociale d'un quartier italo-américain*, Paris, La Découverte, coll. « Poche », 2013 [1943]. を見よ。

☆5　Claude Lévi-Strauss, *Tristes tropiques*, Paris, Pocket, coll. « Terre humaine », 2001 [1955].

☆6　Roland Barthes, « Le discours de l'histoire », dans *Essais critiques, t. 4, Le bruissement de la langue*, Paris, Seuil, 1984, p. 175; Michel de Certeau, *L'ecriture de l'histoire*, Paris, Gallimard, coll. « Bibliothèque des

たのはこの時代、王朝制度が国家観に基づく新しい合法性の形に席を譲り、〔旧政体の〕階級社会が個人社会に取って代わられたときである。つまり、時間の循環的な表象が線的な上昇ヴィジョンに座を奪われたのである。もろもろの語が意味を変え、そして「単数の集合名詞」としての歴史の新しい定義が結晶し、「出来事の複雑さ」と統一的な物語をともに包括して「歴史科学」[☆7]が出現する。かくして叙述の複数性（小文字の歴史 historie）から、それに過去の経験総体を結合できるカテゴリー、すなわち大文字の歴史 Histoire（ドイツ人なら Geschichte と呼ぶもの）へと移る。この新しい「単数の集合名詞」の前提は歴史的弁証法意識の出現であり、これは過去も未来も連続過程において結びつけ、潜在的な意味作用、深い包括的な意味から発するそれ自身の意味論を有する。歴史は必ずしも目的（telos）をもたないが、やはり未来に向かう運動である。もちろん、歴史主義は――とくにその実証主義的解釈において――長らく批判の的になり、問題視されていたが、大文字の歴史が崩壊し、その弁証法が消え失せ――もはや目に見える「期待の地平」はない――、その一貫性が読みとれなくなるには、二〇世紀末の新しい転換期（Sattelzeit）の到来を待たねばならない。この近年は、無数の断片から成るモザイク画である一種の歴史への回帰を迎え、歴史主義の大河が多数の小川に流れ込み、単数人称の叙述の迷路に入った観がする。歴史の種粒は全体的展望がぼやけるにつれて大きくなる。細部の膨張拡大で連続性が理解できなくなった。歴史の新しい主観的記述はこの転換期 Sattelzeit を逆さにした

histoires », 1975, p. 12.

☆7 新しい歴史概念の出現に関しては、Reinhart Koselleck, « Le concept d'histoire », dans *L'expérience de l'histoire*, Paris, Gallimard / Seuil, coll. « Hautes études », 1997, p. 15-99. 転換期の観念については、歴史概念に関する彼の大著への序文参照。オットー・ブルンナーとヴェルナー・コンツェとの共編：Otto Brunner et Werner Conze *Geschichtliche Grundbegriffe. Historisches Lexikon zur politisch-sozialen Sprache in Deutschland*, t. 1, Stuttgart, Klett-Cotta, 1972, p. xv. これについては、以下参照。Gabriel Motzkin, « On the Notion of Historical (Dis) Continuity: Reinhart Koselleck's Construction of the *Sattelzeit* », *Contributions to the History of Concepts*, vol. 1, n°2, octobre 2005, p. 145-158.

徴候のひとつである。

　こうした知的論争すべては、たとえ必ずしも直接的に関連するものや影響するものには係わらないとしても、明らかにここで問題にしている主観的転換の前提のいくつかを生み出している。ただこの変化の原因はたぶんより深いところにあり、一分野の内的な力学をはるかに超えた現代の社会的、文化的な変貌からきている。ここで最初にたてた仮説に戻らねばならない。すなわち、歴史の主観的記述は新しい世界秩序の三つの主要な特徴のひとつとしての個人主義の出現とは切り離せないことである。まず、相次ぐ技術革新とともに生活のリズムを大きく変え、社会的時間性を圧縮した痙攣的な「加速化」プロセスによって、新自由主義（ネオ・リベラリズム）が、最近までは非時間的なものと思われていた知的主観性のいくつかの表現形式を消滅させた。[☆8] 実際、数年間で、インターネット、携帯電話、タブレットなどによって、何世紀ものあいだ、作家や思想家、研究者が一人称で書ける特権的な場であった手紙で書くことをやめてしまった。書簡はつねに彼らの公的作品の代償であり、手紙は印刷されたテクストに潜む「自我」のヴェールを取っていた。ひとたびこの公私の弁証法がなくなると、主観性は突然、ルカーチが言うような「精神的な隠れ家を奪われて」[☆9]、みなしごとなり、その権利を要求して、残された唯一自由な空間である印刷された（または少なくとも公的な）テクストに姿を見せることにしたのである。そうなると、学術的な記述における研究者の主観性は新たな席を見出さ

☆8　Hartmut Rosa, *Accélération. Une critique sociale du temps*, Paris, La Découverte, coll. « Théorie critique », 2010. を見よ。
☆9　Georg Lukács, *L'âme et les formes*, Paris, Gallimard, coll. « Bibliothèque de philosophie », 1974.

ねばならなくなった。かくして、自伝的転換は損失を補うことになる。

前述したように、ヴァルター・ベンヤミンは評論においてはけっして一人称で書かないことにしていたが、手紙を書くことにはたっぷりと時間を割いていた。彼の友人で文通相手のテーオドア・W・アドルノによると、この日常的な慣行は、彼にあっては「儀式のモデル」[☆10]に属していた。彼の主観性はまた微細でエレガント、濃密で几帳面な筆跡筆法にも完璧な表現を見出しており、これはある一定の用紙を必要としていた。彼の友人アルフレート・A・コーンが彼のヴァイマル時代や亡命時にさえ、それを提供していたが、亡命時には、彼はこの友人に書籍類を預けねばならなかった。[☆11]普遍的な物化の時代には、なにごとも、作家の固有性を消して彼らの物的な創作手段を均一化するかのようだった。ベンヤミンのケースが象徴的なように思えたので彼に言及したが、他の例も引用できるかもしれない。例えば、歴史家のなかでは、マルク・ブロックとリュシアン・フェーヴルの書簡があるが、これは『アナール』の研究所の隠れた面を擁しており、占領下でのその亀裂を明らかにするものである。[☆12]書簡の交換というこの知的な主観性表現の聖域はいまや消えてしまった。しかし過去の記述に主観が登場する別の局面は、おそらくもっと重要であろう。

多くの評者が指摘した通り、新自由主義は、金融システムの規制解除、公共機関や経済の主要

☆10 Theodor W. Adorno, « Benjamin, l'épistolier », dans *Sur Walter Benjamin*, Paris, Allia, coll. « About & Around », 1999, p. 55.

☆11 Enzo Traverso, « Adorno et Benjamin: une correspondance à minuit dans le siècle » [2001], *La pensée dispersée. Figures de l'exil juif*, Paris, Lignes, 2019, p. 66-67.

☆12 Marc Bloch et Lucien Febvre, *Correspondance*, 3 vol., Paris, Fayard, 1994-2004.

部門の民有化という以上に、福祉国家の終焉、社会的不平等の驚くべき増大である。問題は、ピエール・ダルド〔一九五二―、哲学者〕とクリスティアン・ラヴァル〔一九五三―、社会学者〕が示したように、マックス・ヴェーバーが有名な論文でプロテスタントの倫理と資本主義の精神の関係を定義づけた意味、つまり「社会的宇宙の合理的形態」[☆13]における「世界の理性」である。新自由主義の世界の理性は「生活行動の指針」を確立したが、これは一般化した競争と市場規則による社会的関係の改変、またその生活を企業のように見なして送ることを余儀なくされた個人の変貌も含む一連の原則である。それはフーコーが「従属化」プロセスと呼んだもの、すなわち、ある一定の社会的秩序の「規範的要素に準拠して行動する倫理的主体として自己自身を形成せねばならない仕方」、彼らを条件づけ、方向づけて構造化する社会的主体の自己形成様式である（これはまた、規範に異議を申し立てる闘いや抵抗から成る二者択一的な主体化の可能性も含意する）[☆14]。過去の主観的記述はこの新自由主義的な新しい生の形／生き方に対応し、これはその規範的な従属化も二者択一的な主体化の探究もともに表現するのである。

その古典的な表現、フリードリヒ・ハイエクが『従属への道』〔一九四三年〕で与えたものにおいて、新自由主義は一種の所有権の福音書以上のものである。もちろん、これはその基礎であるが、野心ははるかに大きい。なぜなら、それはまさしくハイエクが「個人主義の哲学」であると書いて、すぐに明言したように、エゴイズムの形としてではなく、むしろ社会と個人は

☆13　Pierre Dardot et Christian Laval, *La nouvelle raison du monde.Essai sur la société néolibérale*, Paris, La Découverte, coll. « Poche », 2010.

☆14　Michel Foucault, *Histoire de la sexualité*, t. 1, *La volonté de savoir*, Paris, Gallimard, coll. « Bibliothèque des idées », 1976, p. 81.

「個人的行為」の所産であるという事実認識として解釈されねばならないからだ。確かに、人間の行動は価値観によって動かされるが、たんに利害によって決定されるのではない。だがこの価値観は「個人の精神のうちにしか存在しない」。そしてハイエクはこう結論づけている。「個人を彼自身の目的の最後の裁き手として認めること、可能な限り彼自身の意見がその行為を統御すべきであると思うこと、これが個人主義の本質である」[☆15]。この考え方は議論の余地があるという以上のものである。なぜなら、個人は他者との関係に先行し統御する存在論的な与件ではなく、彼自身の思想と行動の自律を付与された社会的主体としての個人を形づくるのは、まさに他者との関係だからである。つまり、非時間的で超越的な主体の自由意志でもなく、同胞と相互に反応し状況に関与するように歴史的に形成された存在の能力である。マルクスからブルデューまで、この論拠が「伝記的幻想」批判の基礎となっている。しかし新自由主義は世界観というだけではなく、遂行的な（performative）〔この用語自体にすでにその概念の実現・成立を含意するような〕次元を有するのである。これは個人主義をして人類学的なモデル、現代のハビトゥスにする。つまり、いまや世界はスマートフォンの画面で己れを見ると、セルフィで変貌するのである。このハビトゥスを生の形、われわれに課されてわれわれの存在の地平を定める社会的な枠組みと見なすならば、それは歴史を現在における〔現在形の〕自我の物語として書くという新しい欲求、一人称で書かれた歴史書、各人がそこに自らを認める叙述モデルに対する人びとの

☆15 Friedrich Hayek, *La route de la servitude*, Paris, Presses universitaires de France, coll. « Quadrige », 1985, p. 49.

熱狂を説明することになる。

二一世紀の初め、新自由主義はフランソワ・アルトークが「現在主義的」と形容した歴史性の新しいレジームを生み出した。すなわち、現在に圧縮された時間の認識と表象である。では現在主義の弁別的特徴とは何か？　まず未来の不在である——またこれはその基本的要素だが。[☆16]過去は未来を予告しない。もはやいかなる贖罪の約束も含まない。過去と未来は永遠の現在のカプセルに入れられたままである。昔は、歴史家の役割は——ミシュレはそれを使命にした——死者に席を与え、未来を思考することにあった。私が別の本で示そうとしたように、マルクス主義的歴史記述は、まさにそれが挫折した革命や過去の敗北を解放のパースペクティヴに組み込もうとした点において目的論的であった。[☆17]ひとたびこの過去と未来の歴史的弁証法が再検討されると、われわれの死者との関係が変わった。いまや死者は「通り過ぎず」、われわれは、ジャブロンカの歴史的物語、ゼーバルトやセルカスの小説、多くの社会科学の研究などが示唆するごとく、彼らとメランコリックで深い異なった関係をもつことになる。[☆18]

現在主義的歴史性のもうひとつの主要な特徴はその非政治的な性質にある。資本主義の新しい形は記憶の枠組みを次第に消して、伝統的な伝達の回路を壊し、集団的行動からあらゆる歴史的準拠を奪ってしまう。記念祭から文化産業までの多様なベクトルに媒介されるにもかかわらず、記憶は個人的な内密の領域以外には沈殿しなくなる。そうして、集団的思考や行動に取

☆16　François Hartog, *Regimes d'historicité. Présentisme et expériences du temps*, Paris, Seuil, coll. « La librairie du XXᵉ siècle », 2003, p. 126.

☆17　Enzo Traverso, *Mélancolie de gauche. La force d'une tradition cachée (XIXᵉ-XXᵉ siècle)*, Paris, La Découverte, 2016, chap. 2.

☆18　Magali Molinié, *Soigner les morts pour guérir les vivants*, Paris, Les empêcheurs de penser en rond, 2006.

って代わる一群の物語やイメージ、情動に限られてくる。この脱政治化は現在主義の別の特徴、過去の物化《もの》を強める。伝達可能な経験の終焉は「記憶の場」を生み出すが、これは場所、事物、イメージ、象徴などの総体で、過去を一種の遺産、相続した所有権を組織化するもので、まさに博物館に保存されるにふさわしく、いまにも文化産業によって商品に変えられ、個人的に消費されるのを待っているようなものである。過去はもうユートピア的想像力を生成せず、その認識は商品の消費によって構造化されているのである。過去がユートピア——個人的な成功プログラムとして考えられた未来——を個人化（わたくし化）するのと同様に、新自由主義は過去を個人化する傾向にあり、自我をその観察台にしてかつ実験室にするのである。

新自由主義的歴史性のレジームは、たとえこの意味で、金融資本の「有機的な知識人」〔伝統的な知識人と異なり、一階級集団の統合的一部を成す知識人〕がいくつかの試みをしても、必ずしも新自由主義的歴史記述を生み出さない。例えば、デービッド・ランデスはなぜ西欧がその豊かさに値するのかを説明した。英国帝国主義の先唱者ニーアル・ファーガソンは、ルネサンスとフランス革命がどれだけ銀行のお陰を被っているのかを示そうとした。最近では、ウィリアム・ゲッツマンが歴史的目的論を復権し、古代からウォールストリートまで、金融マネーが歴史の真の世界精神（Weltgeist）を成していることを明らかにした。[☆19] しかしながら、結局は、新自由主義は歴史記述には無関心なので、こうした試みは少ない。これは大学の予算、具体的には人文科学の諸部

☆19 David S. Landes, *Richesse et pauvreté des nations. Pourquoi des riches? Pourquoi des pauvres?*, Paris, Albin Michel, 2000; Niall Ferguson, *L'irrésistible ascension de l'argent*, Paris, Perrin, coll. « Tempus », 2011; William N. Goetzmann, *Money Changes Everything: How Finance Made Civilization Possible*, Princeton, Princeton University Press, 2016.

門の予算の「合理化」の方にはるかに関心があるのだ。また二〇世紀の全体主義的制度と違って、過去を支配する欲求には捉われない。歴史を操作するとか過去に対する公式見解を課そうともしない。それどころか、記念祭に甘んじ、その個人主義的なエートスは至るところで人権を称えて、自らに有徳の顔を与えるのを好むのである。

その代わり、現在主義は研究者が内密な領域へ後退するのを助長する。つまり、ユートピア的想像力が萎縮するため、不連続な過去へメランコリックな眼差しが向けられるのである。そこでは、政治は第二義的な位置にある。これは、撤退はしないが、遠くから、しばしば懐疑的に、過ぎ去った時代に属する社会参加の形として観察されている（必ずしもなにも見ない盲目状態になるのではない）。家が記憶と歴史的調査の特権的な場所として取って代わるが、これは幽霊や亡霊の住む領域で、家の壁のあいだ、引出し、古い段ボール箱から見つかった写真、手紙、身分証明書の上などにさまよい出てくる。[☆20] これらは、大好きだが、歴史家になった孫がけっして知ることのない祖父母や、空き家になった埃まみれの家の壁にかけられた若き軍服姿のファランへ党員の肖像写真へわれわれを連れ戻してくれる。そうして語の文字通りの意味で「遺産」、先祖から相続として受けた財産を見出すことになる。この現象は新自由主義的理性とかその価値観から直接生じるのではなく、過去の現在主義的な認識の結果である。

新しい歴史の主観的記述は自画像としてのセルフィ、また完全に自己中心でありながら、視

☆20　Marianne Hirsch, *Family Frames: Photography, Narrative, and Postmemory*, Cambridge, Harvard University Press, 1997.

覚的安易さと消費の物化された様式によって普遍的な性格を帯びるコミュニケーション形式として、セルフィの時代に合致する。何人かの研究者はそこに、一般化した「牧歌的」な監視とともに近代的な管理方式を内在化した「自己のテクノロジー」さえ認めている。[☆21]『レティシア』において、ジャブロンカはヒロインがフェイスブックで公開したメッセージを分析し、そこに彼女の社会的世界、文化と世代の反映、実際には「われわれ」を指す「私」という表現を見ている。なぜなら、サルトルの『言葉』の結論をパラフレーズしながら彼は、レティシアは「男と女、娘と若者などみんなからできた二一世紀の娘であり、〔総体としての〕彼らみんなに当てはまり、また〔個々の〕誰にも当てはまる娘である」、と書いているからである。[☆22]まさにその通りで、彼の著作は、個人は社会に先行して決定する主体ではなく、むしろ社会的関係の産物であるというマルクスの主張の見事な論証である。これはサルトルがフロベール『家の馬鹿息子』に関する自著の序文でも取り上げた主張で、この人物をその社会と時代を全体化し、「そこにおいて特殊性として自己を再生する」[☆23]特殊な普遍として呈示している。

この定義づけはまた、いわばジャブロンカやルツァットのような歴史家にも、ゼーバルト、メンデルゾーン、セルカスのような小説家にも適用される。歴史は「現代文学である」という考えを認めるならば、それを時代の鏡、あらゆる文学的創造として見なくてはならない。この場合は、二一世紀初頭の鏡、新自由主義、個人的領域への屈曲後退の時代である。確かに、こ

☆21 Kimberly Hall, « Selfies and Self-Writing: Cue Card Confessions as Social Media Technologies of the Self », *Television & New Media*, vol. 17, n°3, 2016, p. 228-242. Michel Foucault, « Les techniques de soi », dans *Dits et écrits (1954-1988)*, t. 4, *1980-1988*, Paris, Gallimard, coll. « Bibliothèque des sciences humaines », 1994, p. 783-813. を見よ。

☆22 Ivan Jablonka, *Laëtitia. Ou la fin des hommes*, Paris, Seuil, coll. « La librairie du XXIe siècle », 2016, p. 186-187. 参考にしたのは、Jean-Paul Sartre, *Les mots*, Paris, Gallimard, 1964, p. 206.

☆23 Jean-Paul Sartre, *L'idiot de la famille. Gustave Flaubert de 1821 à 1857*, t. 1, Paris, Gallimard, coll. « Bibliothèque de philosophie », 1988, p. 7.

うした作者の本は相互交換可能なものではなく、多かれ少なかれ「真実」で、多かれ少なかれ完成した説得力のあるものだが、ブシュロンが、欠陥や長所を含めて、文学作品は、究極のところ、「同時代の一定の記憶の状態[☆24]」しか示さないとするのは正しい。これは、『慈しみの女神たち』の主人公は「時代を映す鏡であるから正しい」と言う目眩まし的注釈を馬鹿にする、ローラン・ビネの考えでもある。まったくそうではない、と彼は反駁して、「彼がわれわれの時代を映す鏡、つまり手短かに言えば、ポストモダンのニヒリストであるから[☆25]」正しいという印象を与えるのだとする。

仔細に見ると、こうした作者はみな、いまや公的な記憶が提供しているさまざまオプションを取り上げて、それを問題化し、幅広く無数の情動と状況の音域で豊かにしている。すなわち、ホロコーストの市民宗教（ジャブロンカ、メンデルゾーン、エネル）から、反ファシズム（ルツァット、スクラッティ）や、余白にあって、反逆的なダンディズムの形とつながる売れ残り品の記憶（アルティエール）のようなものを含めて、あまり順応主義的でないヴァリアントを経て、ポスト・イデオロギー的な修正主義（セルカス）に至るまでの音域である。こうしたアプローチが同じものではないことは明らかだが、ともに記憶と政治の地平を定めているのである。

ジャブロンカは祖父母との感情移入の限界を認め、その賭けの「取るに足りない」性格も認

☆24　Patrick Boucheron, « Toute littérature est assaut contre la frontière: notes sur les embarras historiens d'une rentrée littéraire », *Annales*, vol. 65, n°2, 2010, p. 463.

☆25　Laurent Binet, *HHhH*, Paris, Grasset, 2010, p. 326.

めている。彼らの存在の糸を細心綿密に再縫合したあと、彼は「なにもわからない」と告白せざるを得ない。しかしながら、この謙虚な告白は、果たし終えた少なからざる作業の満足感ですぐに相殺される。なぜなら、彼は歴史家の務めは「世界を修復する」[☆26]ことにある、と指摘しているからである。ところで、「世界修復」の手段とテクニックは主題と時代によって変化する。

この歴史の贖罪的概念は、ナポレオン戦争直後、歴史家に「民衆の復讐」を果たす役目を委ねたシャトーブリアンを想起させる。この考えは数世代に強いインパクトを与え、例えば、ピエール・ヴィダル＝ナケは、回想録で、長らくこうした言葉に「生きる理由」[☆27]を見出していたと書いている。しかし以後、この修復という徳は内密の、ほとんど家庭内空間に閉じ込められたようである。例えば、父親を肩に背負うアイネイアスのような歴史家である。世界を修復することは、ティックーン Tikkoun（世界の修復）[☆28]というヘブライ的概念に合致する、とジャブロンカは明言し、その解釈を示している。すなわち、知と文学的才能に育まれても、メシア信仰を欠いた家族愛や義務感である。ところで、ゲルショム・ショーレムにとって、メシアの贖罪は強い黙示録的次元を有するが[☆29]、ヴァルター・ベンヤミンにとっては、過去の贖罪（贖い）は現在を変える政治的行動によってのみ行なわれる。つまり、忘却から敗者を救済し、過去を修復してその希望を実現可能にするのはこの行動なのである[☆30]。世俗語で表現し直されたティッ

☆26 Ivan Jablonka, *Histoire des grands-parents que je n'ai pas eus*, Paris, Seuil, coll. « Points », 2013, p. 369.

☆27 Pierre Vidal-Naquet, *Mémoires*, t. 1, *La brisure et l'attente (1930-1955)*, Paris, Seuil, coll. « Points essais », 2007, p. 113-114. Chateaubriand, *Mémoires d'outre-tombe*, Paris, Gallimard, coll. « Bibliothèque de la Pléiade », 1946, p. 630. を見よ。

☆28 Jablonka, *Histoire des grands-parents que je n'ai pas eus*, *op. cit.*, p. 369.

☆29 Gershom Scholem, *Le messianisme juif. Essais sur la spiritualité du Judaïsme*, Paris, Les belles lettres, coll. « Le goût des idées », 2013 [1974].

☆30 Walter Benjamin, « Sur le concept d'histoire », dans *Œuvres*, t. 3, Paris, Gallimard, coll. « Folio essais », 2000, p. 427-443. Michael Löwy, *Walter*

クーンは、現在を変えるために過去を解釈することにある。これは確かに歴史家がひとりでは果たせない務めだが、それでも彼の作品（営為）はそこに完全に組み込まれている。それに対して、ジャブロンカ自身の告白では、彼のティックーンは家庭内領域の限界を越えず、祖父母の「燃え立つユダヤ・ボリシェヴィズム」からきわめて遠くかけ離れたままであるという[☆31]。

自己の拡張は必然的に一人称複数（私たち）の縮小を意味する。新しい過去の主観的記述――歴史家的で文学的な記述――はしばしば、その作者を含めて、断絶後、連続性を結び直したいという欲求から生まれたポストメモリーの努力の表われとして、それゆえまたマリアン・ハーシュ〔一九四九―、コロンビア大学教授〕が指摘するように、トラウマ的経験の世代間の伝達につながるものとして解釈されている。そうした著作物は確かに戦争の裂け目後に生まれた世代のものだが、しかしまたそれを、一九六〇―一九七〇年代の集団的社会参加の大波後に生まれたか、成人した世代の鏡と見なすこともできよう――これは、「一九八〇年代の大悪夢[☆32]」のあいだに自己形成した世代で、この年代はまさに、戦闘的行動の終焉、歴史的解釈の鍵となるカテゴリーとしての階級闘争の放棄、政治的言説における人権の出現、ホロコーストの記憶の飛躍的拡大、個人主義の出現などによって刻印された時代である。長期持続という観念に基づいて捉えると、この世代は、脱政治的な年齢層に属しており、その文化的境界線は戦後の一連の集団的運動の敗北によって引かれている。視覚芸術はつねに書き物文化よりもかなり先んじていた

Benjamin: avertissement d'incendie. Une lecture des thèses « Sur le concept d'histoire », Paris, Éditions de l'éclat, coll. « Philosophie imaginaire », 2014 [2001]. を見よ。

☆31　Jablonka, *Histoire des grands-parents que je n'ai pas eus*, *op. cit.*, p. 369.

☆32　François Cusset, *La décennie. Le grand cauchemar des années 1980*, Paris, La Découverte, coll. « Poche », 2008.

ので、映画が一九七〇年代末からこの転換点を予示していた。自己蔑視（否定）と破滅的な批判精神を伴って、ナンニ・モレッティ〔一九五三―、イタリアの映画監督〕の最初の映画が、一九七八年から新時代の到来を示していた。タイトルは『ぼくは自給自足者だ（Je suis un autarcique）』[★1]である。反逆のページがめくられたのだ。その後数十年は、喪の記憶以外は問題ではなくなることになる。

われわれと時間との関係は、とりわけノルベルト・エリアスが示したように[☆33]、偶然的なものではなく、選択的か純粋に主観的である。この関係は社会的に構造化されている。ただそれは自律性の幅がまったくないということではない。支配的秩序とその生活様式に反して、地下ルートで伝わる「マラーノ〔中世イベリア半島の隠れユダヤ人教徒〕的な」隠された、秘密の多くの記憶があるが、現代の地平は市場社会の、断片化、細分化された世界のものである。そのアイデンティティは個人的で、もう集団的なものではない。その過去と「ユートピア」の表象は――未来へ投影するその形をそう呼べるとすればだが――「個人化されている」。ただそれは研究者と作家が、多かれ少なかれ意識的に、新自由主義的世界観を具体化させることを意味するのではない。大部分は反対のことをする。歴史の主観的記述はいかなるイデオロギーも主張しない。それは人びとの視線を導く社会的な事実への自己の投影から生じる。新自由主義的な世界はわれわれの生の枠組みと観察台になったのである。われわれは自らが選んだのではない社会的枠組

★1　この原題 Ecce bombo は Ecce homo（この人を見よ）のもじりか？　邦題『青春のくず屋〜おはらい』。

☆33　Norbert Elias, *Du temps*, Paris, Fayard, coll. « Pluriel », 2014 [1997].

み――と歴史性のレジーム――の内部で生活し、夢み、働き、創造する。かつてラインハルト・コゼレックが描いた歴史的弁証法――「経験の空間」としての過去と「期待の地平」[☆34]としての未来との象徴的な関係――の終焉が過去のエクリチュールの慣行を変えてしまった。個人主義の時代に、主観性が歴史家の仕事場にも根を下ろしたのである。

現在主義もまた認識論的な地平である。多くの研究者にとって、これは新しい自伝的で内面的な歴史記述の礎石になった。今では、歴史家は、エドワード・P・トムスン（一九二四―一九九三）が六〇年前にしたように集団的な歴史の当事者たちの主観性を研究することはできなくなっている――この歴史家は当時、階級「それ自体」はなく、また「階級意識」なき階級もなく、階級はたんなる社会経済的実体でもなく、文化や経験、世代間や宗教、ジェンダーの亀裂などによって形づくられた、生きている集団であると論じていた。二五年前、政治的アイデンティティ論がたけなわだった時代、エリック・ホッブズボームは歴史の普遍主義的使命をこう指摘している。「たんにユダヤ人（アフリカ系アメリカ人、ギリシア人、女性、プロレタリア、同性愛者）だけのために書かれた歴史は、たとえそれを実践している者を力づけるとしても、よい歴史にはなり得ない[☆35]」。ホッブズボームはそうして集団のアイデンティティの後退へ注意を向けさせた。今日、個人的な主観性はそれを通して過去を問いかけるプリズムになった。この傾向は新自由主義的世界の到来に結びつくものだが、それは一九世紀の歴史記述が国民的想

☆34　Reinhart Koselleck, « "Champ d'expérience" et "horizon d'attente": deux catégories historiques », dans *Le futur passé. Contribution à la sémantique des temps historiques*, Paris, Éditions de l'EHESS, coll. « Recherches d'histoire et de sciences sociales », 1990, p. 307-329.

☆35　Eric J. Hobsbawm, « Identity History Is Not Enough », dans *On History*, Londres, Weidenfeld & Nicolson, 1997, p. 266-277.

像空間の飛躍的拡大を反映し、さらに五〇年後、フェルナン・ブローデルの構造的歴史学が、人口と経済の地殻構造的運動とともに、〔アメリカ自動車産業の〕フォード式資本主義、大量生産と大衆文化の時代に反響したのと同様である。

さまざまな歴史学流派間の論争はしばしば研究にとっては強力な刺激剤であり、つねにいくつかの過去の見方があったが、それでも各時代にはそれなりの歴史の記述方式があることに変わりはない。本書の冒頭で引用したトロツキーの『ロシア革命史』の例は、まさにこの世紀に穿たれた溝を対象としていた。歴史的大変動の主役のひとりはエゴを脇において、この出来事を語るのに三人称で書き、そのあらゆる面を分析する必要を感じ、歴史的著作ではそれが相応しいとしていた。だが今日、研究者は自らが経験しなかった過去の時代を語るのに一人称で書いている。

戦争や革命は世界の舞台に大衆が大挙して登場することによって特徴づけられ、集団的行動が個人の運命を超越する叙事的な物語を生み出している。ジュール・ミシュレ、エドガール・キネ、レオン・トロツキー、アイザック・ドイッチャー、C・L・R・ジェームズ、さらに新しくは、アドルフォ・ギリー、アルノ・マイヤーなどが捉えようとしたのは歴史の息吹である。それはまた、エドマンド・バーク、イポリット・テーヌから、それほど昔ではないフランソワ・フュレやエルンスト・ノルテまでの保守的歴史記述にもあてはまることである。賛否はともかく、革命的情熱はその集団的次元とポリフォニー（多音声）を要求する（またおそらくエリック・ヴュイヤールのような作者が主観主義的な立場から遠ざかるのは、彼らの記述がポリフォニックだからであろう）[☆36]。歴史の大きな区切りを経験した世代は記念碑的なフレスコ画に向かう回想録作者や歴史家を生み出したが、われわれの世代は、研究者が自らの忘れられた祖先にとり憑かれている。そのような立場は、過去がもはや現在との生きた絆を保つのではなく、物化されて広大な記憶の場の集積に変えられた風景と見なされる世界——より正確には、西欧世界と称されるもの——においてのみ可能なのである。

かくして、それまで匿名であった生の贖いが意味をもち、博物館化された過去への穏やかな訪問規則を侵犯することになる。またかくして、大いなる（大文字の）歴史は、その大異変や悲劇とともに、たとえそれが埋もれて、永久に忘れられたままになる恐れのある個々の生のプリズムを通して語られるとしても、より興味深くより真実なもののように思えてくるのである。いったんその記憶を保存していた社会的枠組みが壊れると、集団的行動は思い出や慣習、文化、伝えられた経験の集合体というよりもむしろ、学問的な分析の対象となる。またいったん二〇世紀のユートピアに烙印が押され、敗北が確認されると、イディッシュラント〔イディッシュ語話者の東欧ユダヤ人共同体〕のブント〔ユダヤ人労働者総同盟〕などの革命家たちは集団的運動のメンバーではなくなり、単独の孤立した存在、あの、彼らにはいなかった祖父母となる。新しい歴史

☆36　たとえば Éric Vuillard, *14 Juillet*, Arles, Actes Sud, coll. « Un endroit où aller », 2016; 同じ著者の *La guerre des pauvres*, Arles, Actes Sud, coll. « Un endroit où aller », 2019. を見よ。

の主観的記述はまたこの歴史的断絶からも生じる。もちろん、彼らに不平を言うのではないが、そのことを自覚しておく方がよい。この新しい歴史記述の方法に長所と魅力——とくに文学的次元——があるとしても、それを「社会科学のためのマニフェスト」とすることは必ずやなんらかの困惑を引き起こすことになる。つまり、それはその時代に密着して、批判精神を無力化する恐れがある方法なのである。この点では、ニーチェの教訓に留意し、アガンベンの考察をよく考えなくてはなるまい。「真にその時代に属する者、真の同時代人は、それとは完全には一致せず、その主張に同意しない者で、この意味において自らを時事性のない存在と定義づける者のことである。しかしまさにこの理由のため、まさにこのズレとアナクロニズムのために、彼は他の者よりもその時代を認識し把握することに適しているのである[☆37]」。

文学は久しく前から真実との関係を問うてきたが、他方、歴史は諸学派と方法論的論争を介して、過去を探究し解釈するために新しい道を探していた。二世紀間の認識理論の尺度で見ると、ミシェル・レヴィが提案する道は展望台のアレゴリーに含まれている。過去の解釈は、社会科学を自然科学者の観察と同一視した実証主義が育んだ精確厳密幻想に応じて、鏡に映った対象のイメージに比較しうるものではない、と彼は言う。歴史と美学の喩えで言うと、レヴィによる過去とはむしろ、高い観察台を選んだがゆえにそれだけ視野がより広くなった芸術家の

☆37 Giorgio Agamben, *Qu'est-ce que le contemporain?*, Paris, Rivages, coll. « Petite bibliothèque », 2008, p. 9-10.

描いた風景である。[☆38]

一九世紀の作家、彼らは、結局はすべての観察台が欠陥のある不満足な眺めを供するものだという結論に至った。ここで、不可避的にワーテルローでのファブリス・デル・ドンゴの波瀾に富んだ出来事が思い浮かぶ。やっとナポレオン軍の隊列に合流したものの、彼は戦闘の騒音に耐えられなかった。軽騎兵は敵の砲弾に撃たれ、戦場は死体で覆われていた。馬は泥と血、ときには戦闘で倒れた兵士や動物の臓物のなかでまごついていた。スタンダールは続ける。砲撃は「等しく持続的な唸り」を発していたが、爆音が近いのか遠いのか言うのは困難だった。戦闘に投げ込まれて、ファブリスは「まったくなにもわからなかった[☆39]」。スタンダールの訓えに啓発されて、トルストイは『戦争と平和』（一八六〇年）で同じ問題を扱い、主人公のひとりピエールを同じジレンマに置いた。ボロディノで、ピエールは戦いを眺められる岬を探し出したが、失望した。周りを見ても、「すべてあまりに漠然としており、彼の想像力は満たされないままだった」。広漠たる風景が眼前に広がり、村、小川、軍隊、野営地がごたまぜになっていて、彼は「自軍と敵軍を区別すること[☆40]」さえできなかった。自軍が彼の部隊に現われたように思えたのは、戦闘が終わったあとになってやっとのことだったのである。

それゆえ、展望台のアレゴリーは含みをもたせる方がよいだろう。ジークフリート・クラカウアーは歴史家を死者の王国に降りるオルフェに喩えているが、彼の方は映画的なメタファー

☆38 Michael Löwy, *Paysages de la vérité. Introduction à une sociologie critique de la connaissance*, Paris, Anthropos, 1985, p. 219 (ouvrage réédité sous le titre *Les aventures de Karl Marx contre le baron de Münchhausen. Introduction à une sociologie critique de la connaissance*, Paris, Syllepse, coll. « Mille marxismes », 2012).

☆39 Stendhal, *La chartreuse de Parme*, Paris, Flammarion, coll. « GF », 2000 [1839], p. 108.

☆40 Léon Tolstoï, *Guerre et Paix*, t. 2, Paris, Gallimard, coll. « Folio », 1972, p. 197. Sabina Loriga, « Tolstoï dans le scepticisme de l'histoire », *Esprit*, n°315, juin 2005, p. 6-25. のエッセイを見よ。

を好んだ。生の世界（Lebenswelt）のように、歴史的世界は不均質で混沌としている。それを秩序立てて再構成するために、歴史家はゾンデで過去に探りを入れることからはじめ、全景（ロングショット）と、「なんらかの視覚的細部を切り離して拡大する」[☆41]クローズアップを交互にして見なくてはならない。全景は、「長期持続」と構造的歴史の信奉者アーノルド・トインビーとフェルナン・ブローデルの（今日ではユルゲン・オスターハメルが採択した）方法である。クローズアップの方は、エルヴィーン・パノフスキー（と今日ではカルロ・ギンズブルグ）によって用いられている。歴史家は空間的でもあり時間的でもある、この二つの次元で研究している。

くず屋は——収集家も——忘れられ、捨てられた物を拾うが、ただそれに全体のなかでの位置を与えなくてはならず、そうでなければ、彼の仕事は無益で不毛なままである。つまり、過去はつねに死の大陸で、「贖罪」を待っているのである。マクロからミクロの歴史への移行は〔マクロ的〕現実の認識を縮小する分だけ〔ミクロ的な〕それを増すというわけではない。それは異なった風に見ることを可能にする「はしごゲーム〔子供のサイコロ遊びの一種のボードゲーム snakes and ladders〕」である。拡大は全景では見えない細部を浮かび上がらせるが、しかしジャック・ルヴェルがミケランジェロ・アントニオーニの『欲望（Blow Up）』（一九六六年）を分析して示したように、全体的な力学と主張を包括するには至らない。クローズアップは大きな集団的実体を無視して、小さ

☆41　Siegfried Kracauer, *L'histoire des avant-dernières choses*, Paris, Stock, coll. « Un ordre d'idées », 2006, p. 169-170. クラカウアーの見地を採択したモナ・オズーフが暗示したアレゴリーは小説家と歴史家の限界を指摘し、前者を近視眼、後者を老眼としているが、これには問題がある。Mona Ozouf, « Récit des romanciers, récit des historiens », *Le Débat*, n°165, 2011, p. 22. を見よ。

な動きや個々の行為者にこだわり、その挙動を浮き上がらせて行なった選択を問題にする。それは「下から見た」、「地面すれすれの」[☆42]人間性を示すのである。しかしミクロストリアは細部を捉えて、歴史的プロセスの連なりを遡り、全体を照らし出す。ただそれは最初の状況証拠を結び直しながら、道を描き直せる場合にしか意味を成さないのである。

展望台のアレゴリーはマクロとミクロの歴史の問題に決着をつけるものではない。このアレゴリーは二つとも受け入れるが、それは最も高い視点は社会的観察台だからである。つまり、見下ろされた者（被支配者）は、その見方は批判的なので、遠くから離れてかまたはより明確に、近くからも遠くからも見るのである。彼らは既成秩序を守ることには関心がなく、むしろその矛盾や隠れたメカニズムを捉えようと努める。彼らの視線は戦略的で、批判的精神はただ眺め考えるだけの立場では満足しない。敗者には敗北で鋭くなった批判的精神と観察能力がある、とコゼレックは示唆している。[☆43]彼らの眼差しはマクロとミクロの歴史を包括する。敗者の観点の歴史は全体図——E・P・トムスンが描いた産業革命——と小規模な探究から成るものである。例えば、後者は第一次世界大戦の兵士の手紙とか、英国植民地時代の古文書に隠されたインディアンの反抗者の「小さな声」である。[☆44]

規範的なアプローチはない。歴史記述は現実の複雑さをさまざまな方法によって解釈する複数の流派からなされており、分野間やその内部の論争は不毛でもあり実り多いものでもある。

☆42　Jacques Revel (dir.), *Jeux d'echelles. La micro-analyse à l'expérience*, Paris, Gallimard/Seuil, coll. « Hautes études », 1996, p. 12; および Jacques Revel, « L'histoire au ras du sol », préface à Giovanni Levi, *Le pouvoir au village. Histoire d'un exorciste dans le Piémont du XVIIe siècle*, Paris, Gallimard, coll. « Bibliothèque des histoires », 1989, p. i-xxxiii.

☆43　Reinhart Koselleck, « Mutation de l'expérience et changement de méthode. Esquisse historico-anthropologique », dans *L'experence de l'histoire*, Paris, Gallimard/Seuil, coll. « Hautes études », 1997, p. 239.

☆44　それぞれ E. P. Thompson, *La formation de la classe ouvrière anglaise*, Paris, Seuil, coll. « Points histoire », 2017 [1963]; Antonio Gibelli, *L'officina della guerra. La Grande Guerra e le trasformazioni del mondo mentale*, Turin, Bollati-Boringhieri, 2007 [1990]; Ranajit Guha, « The Small Voice of History », *Subaltern Studies*, n°9, 1996, p. 1-12. を見よ。

それゆえ、新しい主観的な歴史記述の正当性に異議を唱えることは不当であり、誤っているであろう。それは現代の感性を反映し、興味深い結果をもたらすが、ただし作者たちがその限界を自覚し、彼らがそのエゴをモナド〔単子〕ではなく、望遠鏡として使い、主体の地平を袋小路の「地面すれすれ」に縮めるのではなく、拡大するならば、である。主観的な過去の記述は文学を貫くジレンマと歴史記述を悩ませるはしごゲームを考慮すべきである。もしそれが幅広い歴史的ドラマにおいて個人的な運命を記さないならば、袋小路から出られないだろう。歴史は、周辺部を照らし、その当事者たち、とくにそれを形成した匿名者に顔を戻すことによって書くことはできるが、それをたんなる私的なものの領域にとどめるならば、過去を解釈することはできない。

読者には、少なくとも私はそう期待したいのだが、本書がこの新しい歴史記述に反対するのではなく、その誕生の理由を問い考えるものであることを理解してもらいたい。その正当性とか質を否定することが問題なのではない。この記述の結果はときには注目すべきものであり、ときには、とくにその解釈学によって不可避的にさらされるリスクのために、議論の余地があるものとなる。こうした危険の主たるものは、その格子を外すどころかわれわれを窒息させる現在主義の鋼鉄の檻の中に閉じこもることである。われわれの多様な「私」——立場の、調査の、情動の私——の展開展望に開かれた地平の豊かさを探究したあと、歴史はとりわけ「われわれ」によって形づくられ、出来上がったものであることを忘れてはならない。

訳者あとがき

本書は Enzo Traverso: Passés singuliers――Le « Je » dans l'écriture de l'histoire, Lux Editeur, 2020 の全訳である。

著者エンツォ・トラヴェルソは、イタリアはピエモンテ生まれ、現在コーネル大学教授で近現代史を専門とする歴史家、社会学者でもある。このコスモポリタンについては、前回の『ヨーロッパの内戦』(未來社、二〇一八年)でそのプロフィールを若干紹介したので、ここでは繰り返さないが、はじめての読者諸氏のためにごく大雑把に経歴を示すと以下の通りである。

一九五七年、イタリア、ピエモンテ州ガヴィで生まれ、ジェノバ大学で現代史を修める。

一九八九年、パリの社会科学高等研究院で社会主義とユダヤ人問題に関する論文で博士号取得。

二〇〇九年、アミアンのピカルディ・ジュール・ヴェルヌ大学教授。

二〇一三年、コーネル大学教授。

このようにエンツォ・トラヴェルソはイタリア人でフランス語表記のコスモポリタンの知識人だが、いまでは母国よりもフランスで暮らした期間が長く、完全にフランス化 franciser していると思っていたら、いつの間にかコーネル大学に転じ、いまはニューヨーク州南部、イサカ在住である。休暇時はいつもパリのアパルトマンに帰っているというが、いずれにせよ、欧州人によくあるコスモポリタンである。

さて本書『一人称の過去――歴史記述における《私》』だが、これはこれまでのエンツォ・トラヴェルソの著作からすると、かなり異色である。それを象徴するかのように、興味深いことに、原書の表紙にはジェームズ・アンソールの有名な『仮面に囲まれた自画像』が使われている。まずは、本書の概要を示す意味で、原書の裏表紙の紹介文を掲げておこう。

歴史が次第に一人称で語られている。歴史家は過去を再構成して解釈するだけでは満足しなくなっている。いまや、彼らは自己自身を語る必要を感じているのだ。ハイブリッドな新ジャンルが形をなし、とりわけイヴァン・ジャブロンカ（一九七三―）やフィリップ・アルティエール（一九六八―）のような歴史家の著作が例となるが、彼らはその調査研究をものがたり、文学的なスタイルでその情感を描いている。逆に、パトリック・モディアノ（一九四五―）やW・G・ゼーバルト（一九四四―二〇〇一、ドイツの作家）の跡に従って、ハビエ・セルカス（一九六二―、スペインの作家）やエリック・ヴュイヤール（一九六八―）、ローラン・ビネ（一九七二―）のような何人かの作家はロマネスクな真実と歴史的真実との境界を揺るがして、〝非虚構的な小説〟を創作している。

この自我の飛翔は認識論的問題を提起し、またわれわれが生きている世界に関する別のより深刻な問題や、ネオリベラルな新しい理性やそれを特徴づける個人主義の問題も提起する。本書において、エンツォ・トラヴェルソはこの主観主義的な転換点を問い、その創造的な潜在性、政治的両義性、内在的限界を強調している。

このように、従来の思想史的な観点から現代史を論じたものから、視座を変えて、歴史記述をめぐって二つのディシプリン、歴史と文学の関係、その相互干渉／侵犯の問題を扱っている。前記の引用の繰り返しになるが、現代の歴史家（イヴァン・ジャブロンカ、フィリップ・アルティエール）と、作家（P・モディアノ、W・G・ゼーバルト、ハビエ・セルカス、エリック・ヴュイヤール、ローラン・ビネ）、その他セルジョ・ルツァット、アントニオ・スクラッティ、D・メンデルゾーンなど多数を登場させて比較分析し論じている。つまり、三人称で書くはずの歴史家が一人称で語り、一人称で書くはずの小説家が三人称で物語るという相互干渉・侵犯が起こっているというのである。ただ小説家が三人称で語る叙述形態はなかったわけではなく、古今東西、昔から歴史に題材をとった小説や物語は数多くある。だが歴史家が一人称で語ることはなかったであろう。こうした傾向がある頃から文化的・社会的現象となり、著者トラヴェルソはこれに注目したのである。もちろん力点を置いているのは、歴史家における一人称の記述だが、この現象をトラヴェルソらしい透徹した目で、豊富な情報、学殖を駆使して、鋭く分析している。

彼によれば、この現象は、ウンベルト・エーコの『薔薇の名前』（一九八〇年）によって予示され、二〇〇〇年代の初めにフランスを中心にイタリア、スペインにも生じたとしているが、本書では、それがなぜなのかを分析・論述している。そこでとりわけ興味深いのは、その拠ってきたる原因のひとつにネオリベラリズム（新自由主義）の出現があり、その系として生まれた個人主義が現代のハビトゥスとなり、これがデジタル社会の「セルフィ」に象徴され、歴史の主観的記述、「一人称の過去」の記述に対応するものだという、きわめてアクチュアルな認識を示し、批判的に検討・吟味しているのである。

蛇足だが、本書でも、「一人称の過去」方式の有力な実践者のひとりとして何度か言及されているイヴァン・ジャブロンカが、あるインタビュー記事で、以下のようなことを述べているのは興味深い――私（ジャブロンカ）はフランス共和国の学校教育制度のもとで「直線的なコース」、つまり、まずはパリのリセ・ビュフォン、次いでリセ・アンリ四世の（グランド・ゼコール進学）準備学級、それからパリ高等師範学校《エコール・ノルマル・スュペリユール》、ソルボンヌと進み、そこで博士号取得という道を歩んできた。これは、いわば文系の典型的なエリートコースであるが、「長らく文学研究と歴史研究の間で迷っていた」という。「二三か二四歳のとき、文学研究を断念して、歴史と社会科学を選んだが、まったく後悔はしていない。のちになって、私が文学に戻れたのはこれらのディシプリンによってだからである」（『ル・モンド』、二〇二一年四月）。

トラヴェルソが問題にしている「歴史記述における《私》」の道の先頭を走るイヴァン・ジャブロンカからして、大いなる逡巡の結果選んだものであるということは意義深く、考慮すべきことではなかろうか。この俊英なるソルボンヌの歴史学教授は、本書で取り上げられた著作以後も、この道に沿ったと思われる作品 Des hommes justes (2019), Un garçon comme vous et moi (2021) などがあるというから、きわめて旺盛活発な執筆活動をする、アクティヴな「作家」でもある。

なお、今回も西谷能英氏に諸事万端お世話になった。ここに記してお礼を申し上げたい。

二〇二二年早春　　宇京頼三

〔著者略歴〕
エンツォ・トラヴェルソ（Enzo Traverso）
1957年、イタリアのガヴィに生まれ、ジェノヴァ大学で現代史を修める。1985-89年、フランス政府給費留学生としてパリに滞在。パリの社会科学高等研究院で、ミシェル・レヴィ教授の指導の下に、社会主義とユダヤ人問題に関する論文で博士号を取得。ナンテール―パリ第10大学の国際現代文献資料館研究員となり、サン・ドゥニ―パリ第8大学や社会科学高等研究院で社会学を講ずる。ピカルディ・ジュール・ヴェルヌ大学教授を経て、現在コーネル大学教授。フランス語で著書論文を発表し、各種の新聞・雑誌に寄稿している。日本語訳に『ユダヤ人とドイツ』『マルクス主義者とユダヤ問題』『アウシュヴィッツと知識人』『全体主義』『左翼のメランコリー』『ヨーロッパの内戦』がある。

〔訳者略歴〕
宇京頼三（うきょう・らいぞう）
1945年生まれ。三重大学名誉教授。フランス文学・独仏文化論。著書に、『フランス―アメリカ――この〈危険な関係〉』、『ストラスブール――ヨーロッパ文明の十字路』、『異形の精神――アンドレ・スュアレス評伝』、『独仏関係千年紀――ヨーロッパ建設への道』。訳書に、オッフェ『アルザス文学論』、ルフォール『余分な人間』、カストリアディス『迷宮の岐路』、ロレーヌ『フランスのなかのドイツ人』、バンダ『知識人の裏切り』、トドロフ『極限に面して』、アンテルム『人類』、センプルン『ブーヘンヴァルトの日曜日』、ボードリヤール／モラン『ハイパーテロルとグローバリゼーション』、ミシュレ『ダッハウ強制収容所自由通り』、トラヴェルソ『ヨーロッパの内戦』など。

【ポイエーシス叢書76】
一人称の過去――歴史記述における〈私〉
二〇二二年六月三十日　初版第一刷発行

定価……………本体二四〇〇円＋税
著者……………エンツォ・トラヴェルソ
訳者……………宇京賴三
発行所…………株式会社　未來社
東京都世田谷区船橋一―一八―九
振替〇〇一七〇―三―八七三八五
電話　(03) 6432-6281
http://www.miraisha.co.jp/
info@miraisha.co.jp
発行者…………西谷能英
印刷・製本……萩原印刷

ISBN978-4-624-93286-2 C0322

ポイエーシス叢書

（消費税別）

1 起源と根源 カフカ・ベンヤミン・ハイデガー 小林康夫著 二八〇〇円
2 未完のポリフォニー バフチンとロシア・アヴァンギャルド 桑野隆著 二八〇〇円
3 ポスト形而上学の思想 ユルゲン・ハーバーマス著／藤澤賢一郎・忽那敬三訳 二八〇〇円
5 知識人の裏切り ジュリアン・バンダ著／宇京頼三訳 三二〇〇円
6「意味」の地平へ レヴィ＝ストロース、柳田国男、デュルケーム 川田稔著 一八〇〇円
7 巨人の肩の上で 法の社会理論と現代 河上倫逸著 二八〇〇円
8 無益にして不確実なるデカルト ジャン＝フランソワ・ルヴェル著／飯塚勝久訳 一八〇〇円
9 タブローの解体 ゲーテ「親和力」を読む 水田恭平著 二五〇〇円
10 余分な人間 『収容所群島』をめぐる考察 クロード・ルフォール著／宇京頼三訳 二八〇〇円
11 本来性という隠語 ドイツ的なイデオロギーについて テオドール・W・アドルノ著／笠原賢介訳 二五〇〇円
12 他者と共同体 湯浅博雄著 三五〇〇円
13 境界の思考 ジャベス・デリダ・ランボー 鈴村和成著 三五〇〇円
14 開かれた社会―開かれた宇宙 哲学者のライフワークについての対話 カール・R・ポパー、フランツ・クロイツァー／小河原誠訳 二〇〇〇円

15 討論的理性批判の冒険　ポパー哲学の新展開　小河原誠著　三二〇〇円
16 ニュー・クリティシズム以後の批評理論（上）　フランク・レントリッキア著／村山淳彦・福士久夫訳　四八〇〇円
17 ニュー・クリティシズム以後の批評理論（下）　フランク・レントリッキア著／村山淳彦・福士久夫訳　三八〇〇円
18 フィギュール　ジェラール・ジュネット著／平岡篤頼・松崎芳隆訳　三八〇〇円
21 スーパーセルフ　知られざる内なる力　イアン・ウィルソン著／池上良正・池上冨美子訳　二八〇〇円
22 歴史家と母たち　カルロ・ギンズブルグ論　上村忠男著　二八〇〇円
23 アウシュヴィッツと表象の限界　ソール・フリードランダー編／上村忠男・小沢弘明・岩崎稔訳　三二〇〇円
25 地上に尺度はあるか　非形而上学的倫理の根本諸規定　ウェルナー・マルクス著／上妻精・米田美智子訳　三八〇〇円
26 ガーダマーとの対話　解釈学・美学・実践哲学　ハンス＝ゲオルク・ガーダマー著／カルステン・ドゥット編／巻田悦郎訳　二二〇〇円
27 インファンス読解　ジャン＝フランソワ・リオタール著／小林康夫・竹森佳史ほか訳　二五〇〇円
28 身体　光と闇　石光泰夫著　三五〇〇円
29 マルティン・ハイデガー　伝記への途上で　フーゴ・オット著／北川東子・藤澤賢一郎・忽那敬三訳　五八〇〇円
30 よりよき世界を求めて　カール・R・ポパー著／小河原誠・蔭山泰之訳　三八〇〇円
31 ガーダマー自伝　哲学修業時代　ハンス＝ゲオルク・ガーダマー著／中村志朗訳　三五〇〇円
32 虚構の音楽　ワーグナーのフィギュール　フィリップ・ラクー＝ラバルト著／谷口博史訳　三五〇〇円
33 ヘテロトピアの思考　上村忠男著　二八〇〇円
34 夢と幻惑　ドイツ史とナチズムのドラマ　フリッツ・スターン著／檜山雅人訳　三八〇〇円

53名を救う　否定神学をめぐる複数の声　ジャック・デリダ著／小林康夫・西山雄二訳　一八〇〇円
54エコノミメーシス　ジャック・デリダ著／湯浅博雄・小森謙一郎訳　二二〇〇円
55私に触れるな　ノリ・メ・タンゲレ　ジャン＝リュック・ナンシー著／荻野厚志訳　二〇〇〇円
56無調のアンサンブル　上村忠男著　二八〇〇円
57メタ構想力　ヴィーコ・マルクス・アーレント　木前利秋著　二八〇〇円
58応答する呼びかけ　言葉の文学的次元から他者関係の次元へ　湯浅博雄著　二八〇〇円
59自由であることの苦しみ　ヘーゲル『法哲学』の再生　アクセル・ホネット著／島崎隆・明石英人・大河内泰樹・徳地真弥訳　二二〇〇円
60翻訳のポイエーシス　他者の詩学　湯浅博雄著　二二〇〇円
61理性の行方　ハーバーマスと批判理論　木前利秋著　三八〇〇円
62哲学を回避するアメリカ知識人　プラグマティズムの系譜　コーネル・ウェスト著／村山淳彦・堀智弘・権田建二訳
63赦すこと　赦し得ぬものと時効にかかり得ぬもの　ジャック・デリダ著／守中高明訳　一八〇〇円
64人間という仕事　フッサール、ブロック、オーウェルの抵抗のモラル　ホルヘ・センプルン著／小林康夫・大池惣太郎訳　一八〇〇円
65ピエタ　ボードレール　ミシェル・ドゥギー著／鈴木和彦訳　二二〇〇円
66オペラ戦後文化論Ⅰ　肉体の暗き運命 1945-1790　小林康夫著　二二〇〇円
67反原子力の自然哲学　佐々木力著　三八〇〇円
68信と知　たんなる理性の限界における「宗教」の二源泉　ジャック・デリダ著／湯浅博雄・大西雅一郎訳　一八〇〇円

69 最後のユダヤ人　ジャック・デリダ著／渡名喜庸哲訳　一八〇〇円
70 嘘の歴史　序説　ジャック・デリダ著／西山雄二訳　一八〇〇円
71 沖縄思想のラディックス　仲宗根勇・仲里効編　二二〇〇円
72 ヘテロトピアからのまなざし　上村忠男著　四八〇〇円
73 日常非常、迷宮の時代　オペラ戦後文化論II　小林康夫著　二八〇〇円
74 遊撃とボーダー　沖縄・まつろわぬ群島の思想的地峡　仲里効著　三五〇〇円
75 言語隠喩論　野沢啓著　二八〇〇円

本書の関連書　（消費税別）

ヨーロッパの内戦　炎と血の時代一九一四―一九四五年　エンツォ・トラヴェルソ／宇京賴三訳　三五〇〇円
暗黒の大陸　ヨーロッパの20世紀　マーク・マゾワー著／中田瑞穂・網谷龍介訳　五八〇〇円
ダッハウ強制収容所自由通り　エドモン・ミシュレ著／宇京賴三訳　二八〇〇円
人類　ブーヘンヴァルトからダッハウ強制収容所へ　ロベール・アンテルム著／宇京賴三訳　四二〇〇円
［新訳・評注］歴史の概念について　ヴァルター・ベンヤミン著／鹿島徹訳・評注　二六〇〇円
批判と危機　市民的世界の病因論のための一研究　ラインハルト・コゼレック著／村上隆夫訳　四五〇〇円